Marie-Josée

et

Julie Vincelette

L'effet Popcorn

TOME 1

Faites éclater votre quotidien!

52 anecdotes inspirantes
et chaleureuses

Marie-Josée Arel
et
Julie Vincelette

L'effet Popcorn

TOME 1

Faites éclater votre quotidien!

52 anecdotes inspirantes
et chaleureuses

Publié par : Performance Édition
CP du Tremblay
C.P. 99066
Longueuil, Qc
J4N 0A5
450 445-2974

Courriel : info@performance-edition.com
Site Web : www.performance-edition.com

Distribution pour le Canada :
Prologue Inc.
1650, Lionel Bertrand
Boisbriand, Qc
J7H 1N7

Distribution européenne : www.libreentreprise.com

Courriel : info@en-amour-avec-la-vie.com
Site web : www.en-amour-avec-la-vie.com

ISBN 978-2-923746-74-6 (livre)
978-2-923746-75-3 (epdf)
978-2-923746-76-0 (epub)

Révision : Françoise Légaré-Blanchard

Conception graphique de la couverture et mise en pages :
Pierre Champagne infographiste

Dépôt légal 1er trimestre 2012
Dépôt légal Bibliothèque et Archives nationales du Québec, 2012
Dépôt légal Bibliothèque nationale du Canada

Imprimé au Canada

52 Bols de Popcorn

Nous dédions ce livre à tous les abonné(e)s

du blogue En Amour Avec La Vie.

La confiance que vous nous témoignez

vaut tout l'or du monde.

Merci !

Préface

de Virginie Coossa

S'endormir le soir en songeant à la longue réunion du lendemain. Se réveiller au petit jour, sans perdre une minute, tirer la marmaille du lit et entamer la routine du matin. Remplir le lave-vaisselle ou le vider, ranger, nettoyer et, entre deux coups de balai, loger trois coups de fil pour fixer des rendez-vous. Se rendre au travail en réfléchissant déjà à ce qu'on préparera pour le souper, puis profiter d'un trou à l'heure du lunch pour effectuer quelques emplettes. Surtout, s'appliquer à être le plus efficace possible au travail en quittant à toute vitesse à 17 h, non sans une pointe de culpabilité.

Et quoi encore?

Conduire les enfants au cours de piano, de danse, de karaté ou de natation. Quand arrive la fin de semaine, ouvrir les yeux avant que le soleil n'ait ouvert les siens, tirer de nouveau les enfants du lit et les accompagner cette fois à leur importante compétition de ski! Souffler un peu en les regardant prendre place à bord du télésiège, s'inquiéter des gants, du casque, de la courroie, puis quand ils sont hors de vue, profiter enfin d'une pause pour se demander : « Et moi, dans tout ça? »

Une caricature? À peine... !

Maman d'un petit garçon, mes journées sont encore loin de s'avérer aussi éreintantes. Pourtant, je cours souvent d'une place à l'autre en essayant de répondre aux multiples besoins des miens. Je monte, je descends, je vais et reviens d'ici et de là-bas, et dans cette frénésie, j'oublie qu'il y a quelqu'un dont je devrais prendre soin autant que de mon fils ou de mon amoureux : *m-o-i!*

Dans l'une des émissions que j'anime, *Le Trésor En Moi*, il est principalement question de recherche de soi, d'estime personnelle et d'accomplissement. Je suis donc à même de constater que dans les grandes lignes, plusieurs femmes de ma génération vivent de la sorte.

C'est sans doute pour cette raison que, assise un après-midi avec sur les genoux, non pas mon fiston, mais le manuscrit de Marie-Josée et Julie, je me suis sentie, après la lecture de quelques pages, envahie par une vague de chaleur bienfaisante. Je n'étais pas seule! Ces deux femmes inspirantes décrivent le quotidien avec réalisme et optimisme. Elles nous transmettent quelque chose de fort simple, mais que nous oublions trop souvent : *le bonheur est d'abord une affaire de perception!* Il dépend de l'angle qu'on adopte pour lire nos expériences de vie. À cet égard, *L'effet Popcorn* est un titre fort approprié.

La vie nous apporte chaque jour son lot d'événements. Certains sont joyeux, stimulants, excitants, comme un *gros bol de popcorn*, alors que d'autres sont tristes, frustrants et générateurs d'anxiété. Or, dans ces moments où le popcorn se présente en *petits grains durs*, les deux auteures du livre nous rappellent qu'il n'en tient qu'à nous d'utiliser les forces que nous détenons pour composer avec chaque épreuve et en ressortir gagnant!

Outre un excellent outil de réflexion, *L'effet Popcorn* s'avère un abri idéal où vous réfugier et vous accorder ces cinq ou dix minutes quotidiennes qui vous permettront de vous recentrer sur vous-même.

La chronique que vous lirez aujourd'hui vous amènera-elle à analyser vos propres comportements? Celle de demain vous fera-t-elle sourire en sirotant doucement votre café? Et celle d'après? Est-ce qu'elle vous remettra en mémoire une expérience agréable, un souvenir heureux?

Si l'on se reconnaît aisément dans ces tranches de vie que partagent avec nous Julie et Marie-Josée, c'est que leurs anecdotes, qui décrivent parfois le pire, mais plus souvent le meilleur de l'expérience humaine, nous viennent de deux femmes qui nous ressemblent. Plus que tout, elles nous rappellent à quel point *L'effet popcorn* peut faire boule de neige et faire rayonner du positif autour de nous.

Après cette lecture, lorsque vous tenterez de transformer une situation fâcheuse en une leçon de vie enrichissante, peut-être aurez-vous intégré à votre vocabulaire l'expression *faire du popcorn*. C'est ce que j'ai moi-même fait pour me rendre compte que du popcorn, eh bien... *ON N'EN A JAMAIS TROP!*

Bonne lecture!

Coup de Chapeau
à Marie-Josée et Julie

Contrairement à ce qu'en dit le dicton, la vie n'a rien d'un long fleuve tranquille. Nous l'apprenons trop souvent à nos dépens. C'est d'ailleurs ce que je constate au quotidien, dans ma pratique de psychiatre dans un Centre Hospitalier Universitaire de la grande région métropolitaine.

Et c'est dans le détour d'une maladie, d'un deuil, d'un conflit au travail, de difficultés financières, que le stress prend le dessus, comme un poison sournois. Puis, tout notre univers bascule. Nous perdons nos repères, nous nourrissant de chimères, espérant un monde meilleur. Nous oublions de prendre le temps de rêver, de croire en nos possibilités, d'établir nos priorités. Nous cessons de vivre pour choisir d'exister. Nous nous répétons que nous sommes nés sous une mauvaise étoile ou pour un petit pain et que c'est une évidence, les autres sont manifestement plus chanceux!

Au risque de vous choquer par mon propos, je vous annonce que tout est une question de choix. Libre à chacun de décider de subir sa vie ou de la vivre, avec son lot de malheurs, mais aussi ses petits bonheurs à savourer au quotidien, comme cette poignée de popcorn que nous offrent si généreusement Julie et Marie-Josée. La recette du bonheur est pourtant fort simple. Chacun porte en soi tout un monde de possibilités. Nous nous perdons de vue, dans les méandres du quotidien qui, parfois, alourdissent notre passage sur cette terre. J'en suis trop souvent témoin, confortablement installée dans ma chaise de médecin-psychiatre. Je suis consultée pour offrir un remède, tout fait, tout simple. On me demande une béquille, car on veut arrêter de penser. On veut dormir jusqu'à ce qu'aient disparu les problèmes et la douleur.

Comme le disait le Petit Prince de Saint-Exupéry : « On ne voit bien qu'avec le cœur, l'essentiel est invisible pour les yeux ». La vie est tellement douce lorsqu'on choisit de la voir à travers les yeux d'un enfant qui s'émerveille devant une pluie d'étoiles ou un flocon de neige!

J'ai fait mon choix, saurez-vous faire le vôtre? Offrez-vous une dose d'amour et de compréhension. Misez sur ce que vous avez de plus précieux : votre confiance en vous-même, en votre potentiel. Choisissez d'avoir une attitude de gratitude, car derrière chaque embûche se cache probablement un important apprentissage, voire même une bénédiction! Il suffit de savoir la décoder. Il s'agit là de l'essence même de ce bouquin qui vous permettra, parfois même à votre insu, d'interpréter votre quotidien pour y dénicher une parcelle de vérité, celle qui vous aidera à transformer ce qui vous semblait être un vulgaire grain de maïs en savoureux popcorn, tout chaud et tellement réconfortant!

Et par-dessus tout… souriez, la vie est belle!

Kim Bédard-Charette
Médecin Psychiatre
Professeur adjoint de clinique
Université de Montréal

« Et si nous laissons notre lumière briller, nous donnons inconsciemment aux autres la permission que leur lumière brille. »

(Marianne Williamson)

Notre sincère appréciation

Notre gratitude est sans fin pour toutes les personnes qui nous soutiennent et nous encouragent dans cette belle aventure!

Un merci tout spécial à

- Nos maris ainsi qu'à nos enfants, pour leur amour qui nous stimule à déployer notre potentiel et à foncer!

- Nos familles respectives, pour les valeurs de confiance, de persévérance et de ténacité qu'elles nous ont inculquées.

- Tous ceux et celles qui nous ont inspiré ces histoires. Afin de préserver l'anonymat de nos *sources*, nous avons librement choisi de leur attribuer un prénom fictif.

- Jean Boucher de Référencement Google, pour son aide et ses judicieux conseils.

- Marc Breault, Alain Riverin et Johany Jutras dont les photographies ajoutent une touche d'infini à notre site.

- Nos éditeurs qui nous ont accueillies à bras ouverts et qui nous ont offert leur soutien dans notre démarche.

- Virginie Coossa et Kim Bédard-Charette qui ont généreusement accepté de signer l'avant-propos, une inoubliable marque de confiance.

- Dieu, l'Amour, la Vie, bref peu importe le nom – pour son immense bonté à notre égard et sa façon unique de nous indiquer la prochaine étape.

Introduction

Entre une tasse de maïs sec ou un bol de popcorn chaud, que préférez-vous? Bien entendu, le grain de maïs comporte ses utilités ainsi que ses vertus. Il est noble en soi et on ne peut rien lui reprocher. Mais soyons franc : le popcorn, c'est tellement plus sympathique! Une simple transformation du petit grain âpre à l'aide d'un peu de chaleur et voilà que les visages s'illuminent. Synonyme de fête et de détente, le popcorn serait-il porteur d'un message plus profond que ce que l'on croit?

Parfois, les événements se présentent à nous comme un délicieux popcorn, c'est-à-dire que nous éclatons d'émerveillement devant ce qui nous arrive. C'est le cas des bonnes nouvelles, des situations heureuses et gagnantes. Mais, nous sommes également confrontés à du maïs sec et sans saveur. Avec sa panoplie d'obligations, la vie de tous les jours gobe notre énergie, ne laissant que fatigue et stress au passage. Lentement, nos jours s'alourdissent et notre sourire s'envole. Il arrive de se sentir comme une grenaille desséchée, sans charme. Et que dire de toutes ces circonstances et toutes ces personnes qui nous heurtent et qui nous blessent?

L'effet Popcorn c'est notre capacité à réchauffer et à revigorer notre quotidien afin que toute sa splendeur explose. Apporter un peu d'amour et d'attention à qui nous sommes, à ce que nous vivons, pour en faire jaillir quelque chose de lumineux. C'est aussi se questionner devant les difficultés et découvrir ce qu'elles ont à nous révéler. Prendre ainsi tous les éléments qui constituent notre existence et les faire éclater en mille flocons de maïs soufflé! Un pur bonheur.... à peu de frais!

Nous sommes deux femmes dans la trentaine qui ont tout pour être heureuses : santé, bonne famille, couple et enfants, carrière établie, situation financière florissante. Malgré toutes ces bénédictions, il nous arrivait souvent de ressentir une lassitude. Comme si nous vivotions sans but précis.

Notre amitié est devenue un lieu d'échanges à propos de nos rêves et désirs profonds. Animées par la même quête, nous partagions le contenu des pensées que nous écrivions dans notre journal intime. Nous échangions des titres de livre de croissance personnelle. Nous cherchions ce qui pourrait combler notre soif de plénitude.

Parmi nos activités de copines, l'une des plus marquantes fut la lecture du livre *Un cours en miracles*. Cet ouvrage a révolutionné notre recherche. Doucement, une nouvelle idée a fait son chemin : le bonheur ne serait-il qu'une question de perception? Voir le verre à moitié plein plutôt qu'à moitié vide fonctionnait-il vraiment?

En février 2010, nous avons créé le blogue *En Amour Avec La Vie*. Notre passion pour le monde intérieur de l'être humain nous a stimulées à extérioriser notre démarche. À travers des chroniques hebdomadaires mettant en scène événements, personnages et situations de notre vécu, nous avons tenté de voir du positif en toute chose. Notre slogan est fort simple : *Le bonheur comme habitude*.

Même si notre blogue compte de nombreux abonnés, nous sommes les premières à en bénéficier. En écrivant sur une base régulière, nous avons fait le point sur nos priorités, nos valeurs, nos rêves, notre mission personnelle. Nos chroniques exposent aussi notre façon de faire face à l'adversité et les leçons que nous en tirons.

Cette forme d'introspection fait en sorte que nos existences nous apparaissent beaucoup plus attrayantes qu'auparavant. Comme si nous en avions fait jaillir un truc aussi joyeux que... du popcorn!

Pour aimer sa vie et lui apporter un sens, il faut la contempler, l'interroger : « Qu'as-tu à m'apprendre aujourd'hui? » « Pourquoi cette situation me touche tant? » « Qu'est-ce que je veux être dans dix ans? » « Comment se fait-il que ce genre de personnes revienne toujours dans mon entourage? » « Qu'ai-je déjà de précieux? » et autres. Ce sont des exemples de questions qui nous permettent de creuser notre mine d'or et ainsi donner de la teneur à ce que nous expérimentons.

Ce livre regroupe des extraits de notre blogue, soit une série de 52 petites histoires qui pourraient bien sortir de notre journal secret. Anecdotes, clins d'œil, réflexions, prises de conscience, nos textes représentent notre façon personnelle de décortiquer notre routine quotidienne et d'en extraire le meilleur.

Toute histoire humaine est sacrée. Peu importe que notre quotidien semble ordinaire, il recèle une richesse parfois surprenante. Tout ce qu'il faut c'est y appliquer l'effet popcorn : un peu de chaleur, d'amour, d'intériorité et de bon vouloir.

Le plus fascinant avec le popcorn, c'est le phénomène d'entraînement. Lorsque la température idéale est atteinte, un grain explose, puis un autre, un autre et encore un autre! Ainsi en est-il quand on décide d'être heureux! Plus nous percevons le beau en soi, en l'autre, en chaque événement, plus il devient facile de répéter l'opération. Une réaction constructive en provoque d'autres. Ainsi les friands grains de notre nouvelle perception positive s'accumulent pour constituer une portion de plus en plus importante.

Vu de cette façon, nous pourrions dire que ce livre est un méga bol de popcorn. Allez-y, pigez dedans et offrez-en aux autres! Surtout, laissez jaillir votre potentiel, votre grandeur et faites éclater chaque journée que la vie vous offre!

Julie et Marie-Josée

La meilleure façon de déguster votre popcorn

Ce livre se lit dans une grande liberté. Les pages se suivent, mais n'ont pas nécessairement de lien entre elles. Vous pouvez commencer par l'histoire de la fin ou celle du début. Elles constituent des expériences de vie en elles-mêmes et sont porteuses de nos réflexions personnelles. Chacune représente une démarche liée à l'inspiration du moment.

À la fin de chaque chronique se trouve la capsule popcorn. Elle contient l'essence de l'histoire ainsi que des affirmations qui vous sont destinées et qui peuvent vous aider dans votre cheminement. Si le cœur vous en dit, pourquoi ne pas en faire un moment de méditation? Fermez les yeux et laissez-vous porter par le contenu de cette capsule. Nous vous conseillons de noter les réflexions qu'elle suscite en vous.

Naturellement, vous pouvez dévorer le tout en soixante minutes, mais voici différentes façons de tirer un réel profit de votre lecture :

- Consultez la table des matières et choisissez de lire l'anecdote dont le titre vous inspire.

- Ouvrez le livre au hasard et dégustez l'histoire en cours, à partir du début.

- Investissez quelques minutes par semaine, en lisant tranquillement une chronique à la fois.

- En toute confiance, demandez ce que vous avez le plus besoin de savoir en cet instant et ouvrez le livre à l'improviste.

- Déterminez votre lecture en choisissant parmi les capsules popcorn au début du livre dans la section Bols de popcorn.

Utilisez cet ouvrage comme vous le ressentez. Nous n'avons pas la prétention de détenir quelque vérité que ce soit. L'important n'est pas d'être en accord avec ce que vous lirez, mais plutôt de définir vos propres paramètres de bonheur. Nous espérons que vous y trouverez ce que vous cherchez, car on ne se procure jamais ce type de livre par pur hasard… surtout quand on croit à la maxime qui dit : *Ce que tu cherches, te cherche!*

Que cette lecture vous soit aussi agréable et réconfortante qu'un savoureux popcorn!

1

Le début d'une grande aventure

Par Marie-Josée

Dès notre première rencontre, Julie m'a impressionnée par son physique parfait et sa vive intelligence. Propriétaire d'une maison avec son amoureux, elle voyageait et gagnait un excellent revenu en tant que représentante pharmaceutique. J'enviais sa situation bien établie alors qu'à l'aube de la trentaine, je repartais à zéro après un passage de six ans dans une communauté religieuse. Comme d'habitude, une foule de questions m'habitaient : « Qu'est-ce qui cloche avec moi? Pourquoi est-ce que je n'arrive pas à me caser dans la vie? Julie est très gentille mais, je me sens tellement inférieure à elle. » Sous ce sentiment se dissimulait un appel clair. Ne fallait-il pas que je trouve enfin ma voie?

Au cours de l'été 2004, je me rendis chez Julie pour récupérer des boîtes de déménagement. Nous étions bonnes copines, mais notre relation ne se qualifiait pas encore d'amitié. Elle me plaisait comme personne, car sa nature indépendante et déterminée s'apparentait à la mienne. Pendant qu'elle préparait le café, je ne pouvais m'empêcher de l'analyser et de penser que décidément elle avait tout pour elle, la chanceuse! J'ignore si c'est ma curiosité naturelle qui a intensifié la conversation mais, ce matin-là, Julie avait beaucoup de choses à me raconter.

Elle souffrait d'une labyrinthite; je l'ai interrogée sur son état intérieur. En parlant ainsi d'*âme à âme*, j'ai constaté que cette femme, aussi choyée pouvait-elle l'être, se sentait vide au-dedans. Elle cherchait un sens à son quotidien. « Bienvenue dans le club! » ai-je pensé. Si certains utilisent l'expression *mal de vivre* pour définir cet état, moi je préfère l'expression *quête de sens*. Ce n'est en rien un mal que de se poser des questions. Habituée à l'introspection, je comprenais Julie. Son cœur lançait un SOS et je voulais lui porter secours, mais de quelle façon?

Lorsque je traverse une période difficile, je crois que l'Univers prend des moyens pour me parler. Par l'intermédiaire d'un livre, d'un événement ou d'une rencontre, il m'envoie des messages auxquels je suis ouverte. On avait référé une voyante à Julie. Pourquoi pas? C'est une expérience comme une autre, pour autant qu'on ne prenne pas tout ce qui nous est dit pour de l'argent comptant! Or, cette consultation lui avait ouvert les yeux. Elle me parla de l'urgence de se réaliser pleinement à travers sa mission de vie. Ces paroles éveillaient un écho en moi et, je lui fis une proposition.

Étrangement, nous caressions le même rêve d'écrire un livre. « Que dirais-tu que l'on s'organise des sessions d'écriture? », lui dis-je. Ce fut le début de notre grande aventure. À chaque mois, on se rencontrait à la maison ou dans un café, et nous écrivions. Julie préparait un roman jeunesse et moi, un recueil de pensées. À la fin de chaque séance, nous débordions de puissance et d'énergie. À deux, notre force a décuplé. Cinq pages sont devenues dix, puis cinquante et ainsi de suite. Cette enjambée a ouvert tout un chemin et nous voici, huit ans plus tard, auteures d'un premier livre et *blogueuses* sur notre propre site Internet *En Amour Avec La Vie*. Finalement, passer à l'action n'était pas si compliqué, il ne nous a fallu qu'une petite décision. Les rêves ne sont-ils pas faits pour être réalisés? Sinon, à quoi serviraient-ils? Julie et moi en sommes maintenant convaincues!

Un premier pas

La Vie espère une décision de ma part. Rien ne sert d'attendre que tout soit parfait. Il ne suffit que d'un petit geste, d'une simple action pour enfin prendre la route de mes plus grands rêves. Je suis fait pour semer, autour de moi, l'idée que tout est possible. J'y crois!

2

L'ex de mon chum

PAR JULIE

« Une ancienne copine m'a téléphoné et elle voudrait qu'on se revoie. Elle aimerait beaucoup faire ta connaissance », me dit mon *chum*. Intuitivement, je sens que derrière le mot *copine* se cachent les mots *ancienne blonde*. J'avais visé juste! « Ne t'en fais pas, me rassura-t-il, elle a passé les six dernières années dans une communauté religieuse. » En 2002, y avait-il encore des jeunes qui offraient leur vie à Dieu? *Oh! My God!* Elle doit être un peu fêlée, cette Marie-Josée. Peut-être n'est-elle pas une menace pour mon couple, mais ai-je le goût de socialiser avec une ex de mon *chum*?

Je me souviens en détail des deux premières minutes où nos regards se sont croisés. Marie-Josée était une superbe femme aux yeux pers et aux cheveux blonds. Sa beauté physique aurait dû réveiller mes insécurités et me pousser à la tenir loin de mon amoureux. Mais, en l'espace de quelques minutes, j'ai senti fondre mes peurs et mes possibles attaques de jalousie. Jamais on ne m'avait abordée avec un sourire aussi radieux, une gentillesse débordante et un intérêt sincère envers ma personne. Par son attitude amicale, cette femme me faisait clairement comprendre qu'elle ne représentait aucune menace pour moi. J'étais loin de me douter qu'elle deviendrait une source de grands avancements dans mon cheminement.

Aujourd'hui, je réalise que mes préjugés auraient pu me priver d'une amitié profonde. Au fil de nos rencontres, j'admirais secrètement Marie-Josée : « Comment fait-elle pour nouer des relations avec les autres et converser avec autant de facilité? » Ne sachant de quelle façon aborder les étrangers, je préférais rester à l'écart. Après tout, qu'avais-je d'exceptionnel à raconter à mon sujet? Lesquelles de mes performances auraient pu intéresser les autres? La crainte de ne pas savoir quoi dire me gardait dans un état de fermeture vis-à-vis les gens que je croisais. Était-il temps de m'en libérer?

Grâce à ses compétences en relations humaines, ma nouvelle amie m'aidait à m'ouvrir aux autres. Doucement, à force de la côtoyer et de l'observer, j'apprenais à approcher les gens. N'est-il pas vrai que *la pratique crée la permanence?* Malgré mon visage cramoisi et mon cœur battant la chamade, j'osais de plus en plus converser avec des inconnus. J'y prenais même plaisir et mes peurs s'envolaient comme par magie. Durant toutes ces années, mes craintes m'avaient privée de l'une des plus grandes sources d'apprentissage : les gens qui nous entourent.

Ces nouvelles habiletés en relations humaines ont apporté une richesse énorme à mon quotidien. Depuis, je cultive cette conviction : personne n'est mis sur ma route par pur hasard. Chaque être humain que je rencontre peut m'enseigner quelque chose, et ce, même dans les relations les plus tendues. Souvent, les leçons qui nous sont données sont déguisées, et l'on ne les comprend pas immédiatement. À moi de les découvrir, c'est toujours dans mon intérêt. Eh oui, l'ex de mon *chum* est devenue l'une de mes meilleures amies et ma partenaire de création !

Les bras grands ouverts

Qu'est-ce qui cause de la résistance en moi présentement? Si cet événement me déroute, il n'est toutefois ni une impasse, ni un piège. Personne ne peut me blesser si je ne lui en donne pas le pouvoir. En faisant preuve d'accueil, j'irai de répercussions positives en répercussions encore plus positives!

3

Entrer en religion

confession d'une ex-religieuse, épisode UN

Par Marie-Josée

J'ai vécu six ans en communauté religieuse. Chaque fois que je fais mon *coming out*, je prends plaisir à observer la réaction des gens. Des yeux qui s'écarquillent à la bouche qui s'ouvre mollement, j'ai droit à toutes les réactions. Une fois le choc encaissé, deux questions brûlent les lèvres de mes interlocuteurs : « Pas de sexe pendant six ans? » et « Pourquoi avoir renoncé à tout pour servir Dieu? » Eh! Non, pas de sexe! C'est ce qu'on appelle la chasteté, un mot en voie d'extinction. Pour la deuxième question, il m'arrive encore d'y réfléchir. Pourquoi?

Du plus loin que je me souvienne, j'étais fascinée par Dieu. Enfant, il me faisait peur, adolescente, il me révoltait. Comme je fréquentais une école secondaire privée tenue par des religieuses, la transmission de la foi était à l'honneur. Durant les cours d'enseignement religieux, j'exposais énergiquement les failles du catholicisme. J'aimais provoquer des débats et mes amies me surnommaient *Marie-Jésus* tellement le sujet m'enflammait. Sœur Jacqueline a fait preuve d'une grande patience devant ma fougue et mes raisonnements parfois farfelus. Voyait-elle quelque chose en moi?

« Dieu existe-t-il vraiment? Pourquoi suis-je sur la terre? Quel est le sens de ma vie? Qu'arrive-t-il après la mort? » Pas très commun comme questionnement pour une adolescente de quinze ans! C'était plus fort que moi, j'y réfléchissais constamment. Un matin, Sœur Jacqueline nous confia qu'elle avait reçu une chaîne en or de sa famille. Son vœu de pauvreté exigeait qu'elle remette le bijou à sa supérieure. Cette annonce, insignifiante aux yeux de mes copines, me fit sortir de mes gonds. « Totalement absurde! De quel droit la prive-t-on d'un tel cadeau? » La raison pour laquelle Sœur Jacqueline acceptait ce sacrifice m'échappait. Surtout, j'étais loin de me douter que, quelques années plus tard, j'accepterais moi aussi de me départir de toutes mes possessions.

En rébellion contre le christianisme durant toute ma jeunesse, j'ai quand même abouti dans un centre catholique pour vivre une retraite de cinq jours. Je n'adhérais pas aux croyances de ce groupe, mais je voulais bénéficier de l'énergie d'un tel lieu. C'est là que tout a basculé. À vingt-deux ans, j'ai vécu une expérience insaisissable, un truc purement irrationnel! Jésus s'est révélé à moi au plus profond de mon cœur. Son *pep-talk* m'a fait craquer pour lui et il est devenu mon complice, mon guide. Tout un revirement! Je comprenais enfin ce qui animait Sœur Jacqueline. J'avais surtout besoin d'en savoir plus sur ce Jésus et j'ai décidé de joindre cette communauté.

Pour quelle raison? C'était un appel. Je me sentais faite pour cela. Quoi de plus naturel pour une femme passionnée par le monde de l'invisible depuis son enfance? Certains sont nés pour construire des maisons et d'autres pour enseigner aux enfants. Ma vocation à moi, c'était Dieu, et j'allais enfin m'y consacrer! Reste qu'un choix d'ordre spirituel s'avère facilement contestable. Mon entourage s'est perdu en conjectures sur les raisons de mon entrée en religion: dépression, besoin d'être aimée, lavage de cerveau. Prise au dépourvu par la tournure que prenait ma destinée, je me suis demandé si je faisais le bon choix. L'immense paix que je ressentais fut mon ultime confirmation. J'ai vendu tous mes meubles ainsi que ma voiture et j'ai fait mes valises pour le couvent!

Le courage de ses convictions

Nager à contre-courant s'avère parfois nécessaire. Je dois demeurer fidèle à mes valeurs et faire la sourde oreille aux discours négatifs. J'accepte sereinement que la vie comporte son lot d'isolement et d'incompréhension. Si mon cœur me dit d'aller de l'avant, je le suis... sans aucune hésitation!

4

Les autres

confession d'une ex-religieuse, épisode DEUX

_____________________________________ *Par Marie-Josée*

Le quotidien en communauté religieuse convenait parfaitement à la personne *trop spirituelle* que j'étais. Je considérais comme normal de renoncer au port du pantalon, au maquillage et aux bijoux. Jamais je n'avais imaginé être aussi sobre à l'âge de vingt-deux ans : sobre de style, d'argent et de sexe. En fait, rien de tout cela ne me manquait. J'avais le sentiment d'être rentrée à la maison après des années d'exil. Les crucifix et statues pieuses étaient devenus mes nouveaux bibelots. Je savourais le silence profond des lieux de prière. Au cours des premières années, j'ai découvert en moi une zone de joie profonde. Mais ce bonheur venait-il seulement de mon intérieur?

La chaleur humaine qui régnait dans cette communauté m'a littéralement captivée. Un univers sans distorsion, sans compétition, sans intentions égoïstes, était-ce possible? De ces années, je conserve de beaux souvenirs de camaraderie tels que des fous rires, des fêtes de Noël magiques, des célébrations vivantes et animées, de l'entraide à n'en plus finir. Je me sentais comme *Laura Ingalls* dévalant la colline dans *La petite maison dans la prairie* : libre! J'étais aimée sans les artifices de mon existence passée. Cet accueil désintéressé a lentement eu raison de ma méfiance instinctive. Doucement, j'ai appris à m'ouvrir aux autres.

Être extravertie ne signifie pas qu'on entre en relation avec les gens. Avant l'expérience de la communauté, je faisais beaucoup de bruit et je prenais aisément le plancher. Désormais, je n'avais plus à jouer ce rôle. J'avais ma place. Un nouveau désir est né dans mon cœur, celui de faire attention à l'autre, car j'y percevais la présence de Dieu. J'ai ainsi pris la décision de renoncer à la jalousie. Ma technique consistait à complimenter la personne que j'enviais. D'abord, ce fut ardu, mais cette habitude est devenue un mécanisme automatique et sincère. Sans le savoir, je découvrais un des jalons d'une spiritualité saine : ne plus me sentir menacée par une autre personne parce qu'elle me donne accès à Dieu. Wow!

À travers la routine, je m'appliquais à voir la lumière qui scintillait en chacun. Mes journées ressemblaient à ceci : une heure de prière le matin, la messe, du travail en avant-midi, le dîner, du travail en après-midi, une heure de prière avant le souper. La soirée était consacrée au repos et, parfois, nous regardions un film. D'abord attitrée aux tâches ménagères, j'ai rapidement monté en grade et je fus assignée au secrétariat à cause de mes connaissances en informatique. J'ai aussi appris la guitare et le chant afin d'animer les soirées de prière ouvertes au public. Il n'était pas rare que l'on accueille plus de cent personnes! Être présente et attentive à mon prochain, voilà ce que mon passage en communauté m'a surtout appris.

Me plonger dans la synergie d'un groupe religieux m'a déculpabilisée. Je devais même endosser de nouveaux qualificatifs comme *bizarre* et *marginale*. Un des grands défis de notre évolution ne consiste-t-il pas à s'assumer tel que l'on est? Cesser de craindre notre unicité, n'est-ce pas ce qui nous rend puissant et magnifique? Je ne pouvais espérer que tout le monde me comprenne, toutefois mes parents furent extraordinaires en me visitant régulièrement. Me voir épanouie, voilà tout ce qui comptait pour eux. À mi-chemin de mon parcours de six ans, j'ai vraiment cru que j'allais finir mes jours dans cette oasis de paix. Mais mon apprentissage était loin d'être terminé.

Dépasser ses peurs

La majorité de mes peurs ne se sont jamais concrétisées. Pourquoi serait-ce différent dans la situation qui me préoccupe en ce moment? Je veux respecter et endosser ce qu'il y a d'unique et de grand en moi. Surtout, agir comme si l'amour avait déjà gagné.

5

Face au destin

confession d'une ex-religieuse, épisode TROIS

PAR MARIE-JOSÉE

« Mon Dieu que cette femme semble crispée et fermée! » Gisèle, la nouvelle directrice de la communauté, semblait adulée par les plus anciens membres. « Je dois me tromper, me disais-je, ils la connaissent beaucoup mieux que moi. Après tout, je ne suis que la petite dernière! » Gisèle apportait à la communauté un nouveau souffle empreint de renoncement et de *sainteté à tout prix*. Condamnant ma première impression, j'ai suivi l'exemple de mes pairs, et j'ai déposé mon évolution spirituelle entre ses mains. Impressionnée par sa détermination et ses nobles idéaux, je me suis graduellement soumise à ses exigences. Elle est devenue pour moi l'incarnation de la volonté de Dieu. Je croyais qu'Il me parlait directement à travers elle. Ce fut le début de la fin.

Gisèle était une manipulatrice hors pair, s'alliant à qui elle voulait et éloignant qui la menaçait. Elle jugeait notre style de vie trop mondain et comptait y remédier. La prière quotidienne est passée de quatre-vingt-dix minutes à trois heures par jour. Notre communauté étant mixte, elle a restreint les contacts homme-femme. Par exemple, nous ne pouvions plus pratiquer de sports ensemble. Elle a aussi limité les visites de nos familles et de nos amis, les journaux et la télévision ont été quasiment bannis. Ensuite, est venu le port du costume et la coupe de cheveux à la *Mireille Mathieu*. À table, le seul sujet permis était Dieu. En moins de deux ans, nous avions perdu notre unicité. Tels des clones, nous parlions et agissions de la même façon. Rien ne se faisait sans son accord, pas même l'achat d'une paire de souliers! Puisqu'elle prétendait m'aimer comme sa fille, je ne pouvais me permettre de lui être déloyale.

Mon humeur s'est soudainement mise à fluctuer, mon corps me faisait souffrir et je déprimais. Travaillant six jours par semaine, j'ai fini par m'épuiser. Le médecin m'a prescrit des antidépresseurs et du lithium. Selon Gisèle, aimer Dieu impliquait des sacrifices et du renoncement. Il y avait du *mauvais* en moi, et je devais accepter la purification jusqu'à en perdre la santé. Je subissais une grande tension intérieure, mais je m'étais offerte à Dieu et je n'allais sûrement pas revenir sur ma décision! J'avais ordre de faire part de mes malaises et de mes questionnements à nulle autre qu'à Gisèle. Elle prétendait être la mieux placée pour m'aider. Pourtant, je m'enfonçais dans un long tunnel ne voyant aucune lumière à l'horizon.

Personne n'avait vu venir Gisèle! C'est un peu comme dans un couple où monsieur se montre d'abord très amoureux puis, un matin, fait une crise parce que sa chemise n'est pas repassée. Madame est surprise, mais accepte quand même ces écarts. Sous son influence, elle modifie graduellement sa tenue vestimentaire et renonce à certaines amitiés. Un bon soir, voilà qu'il l'agrippe à la gorge en la menaçant. Ou bien madame compose le 911 ou bien elle continue de nier. Mon 911 à moi fut un prêtre qui venait régulièrement à la communauté. N'en pouvant plus, je lui confiai ma souffrance. « Ta conscience est en train de mourir, Marie-Josée », me fit-il comprendre. En l'espace de quelques secondes, j'ai revu tous ces moments où mon cœur avait hurlé : « Non! Ce n'est pas ça l'Amour. Ce n'est pas ça, Dieu! » Mais au nom de l'obéissance, j'ordonnais à ma petite voix de se taire. Les propos de ce bon curé me firent l'effet d'une gifle.

La guerrière en moi s'est dressée et je me suis opposée à l'autorité de Gisèle. Rabrouée et accusée de manquer à mes engagements, je devais me démener pour survivre à la noyade de ma conscience. J'avais besoin d'aide. J'ai ainsi fait ma valise et bravant sa colère, je suis partie en vacances avec mon père. Ces pénibles instants étaient entourés d'un épais brouillard que seul l'amour de ma famille pouvait dissiper. Devant ma maigreur alarmante, mes parents cachaient mal leur inquiétude. Je me suis finalement envolée vers la Floride avec le sentiment d'avoir complètement perdu le contrôle de mon existence. L'autonomie de mon âme ne tenait que par une ficelle. Où se trouvait la fraternité qui m'avait attirée dans cette communauté? Gisèle était-elle au service de Dieu ou de son ego? Et, finalement : Dieu voulait-il que je souffre autant? Au fond de moi, je savais quoi faire. Cependant, j'ai résisté encore un peu à ma sagesse intérieure.

Seul maître à bord

Il y a plusieurs manières de résoudre un problème et de régler une situation, mais toutes ne s'équivalent pas. Je vais écouter ce que me dicte ma conscience et avoir foi en mon jugement. Je saurai que j'ai pris la bonne décision si je ressens une paix inébranlable.

6

Sauve-qui-peut

confession d'une ex-religieuse, épisode QUATRE

Par Marie-Josée

« Dieu, m'as-tu abandonnée? » Mon épopée religieuse prenait une tournure inattendue. Après trois années de luttes contre ma nature humaine, je me retrouvais sur une plage envahie par de nombreux vacanciers. Pendant deux semaines, j'ai goûté à nouveau à de nombreux plaisirs : les restos, le cinéma, les vagues de la mer, la sieste en plein soleil. Je me disais : « Je ne peux pas revenir sur la promesse faite à Dieu! Il doit y avoir une issue... ». Remplie d'une force nouvelle, je me faisais des scénarios de discussions franches avec Gisèle. Elle avait bon cœur et pourrait sûrement comprendre qu'elle exagérait. Fin janvier 2001, je rentrai donc au bercail avec la mission personnelle de *sauver* la communauté.

Quel désastre! Au lieu de montrer de l'ouverture, elle a resserré la surveillance autour de moi. « Après tout ce que j'ai fait pour toi, est-ce ainsi que tu me remercies, Marie-Josée? En doutant de mes capacités? » Aucun dialogue possible. Les bras croisés, elle me regardait et je compris alors qu'aucun sauvetage n'était possible. Ce fut l'un des plus puissants tremblements de terre de mon existence. Je sentais le sol de mes certitudes se dérober sous mes pieds et je me répétais: « Ce n'est pas possible que j'en arrive là! Je ne peux tout de même pas abandonner à cause d'une seule personne! » Je voyais clairement le jeu de Gisèle, et son chantage affectif ne me touchait plus. Je pouvais supporter cette oppression, mais vivre ne consiste-t-il pas à prendre de l'expansion?

Trois semaines ont passé avant que l'invraisemblable devienne réalité. Je devais partir pour sauver ce qui restait de moi. Jésus n'allait pas sauter de sa croix et m'emmener au pays des merveilles! Dieu a les mains liées et ne peut rien pour nous si nous ne passons pas à l'action. Le bon vieux dicton : *Aide-toi et le Ciel t'aidera!* prenait forme dans mon esprit. J'avais besoin de recul pour réfléchir et prendre une décision finale. Un plan s'est alors dressé très clairement, celui de fuir sans que personne ne le sache. Car Gisèle était bien capable de parcourir des milliers de kilomètres pour me redire tout son *amour*. J'étais encore trop fragile pour résister complètement. Mon départ devait être ignoré de tous. En véritable *James Bond*, je me suis alliée secrètement à quelques personnes pour organiser mon évasion.

Un ami m'a conduite auprès de mon père qui m'attendait avec une voiture et une enveloppe d'argent. Je disposais de quelques heures pour m'acheter des vêtements. J'attendis ensuite que la communauté soit à la messe du soir pour me faufiler à l'intérieur et prendre mes valises, dissimulées avec précaution. Tout s'est déroulé à la perfection. Il neigeait à gros flocons lorsque j'ai pris la route pour rejoindre mon refuge. Je fus accueillie avec un bon verre de vin, mais je n'arrivais pas à me détendre, car je devais rencontrer l'Évêque du diocèse dès le lendemain. D'ailleurs, quelle ne fut pas ma surprise de constater que les plaintes au sujet de Gisèle s'accumulaient sur son bureau! Mon témoignage le pousserait-il à intervenir?

Quelques mois auparavant, j'avais fait un rêve étrange. Je courais dans tous les sens sur le pont d'un immense paquebot rempli des gens de la communauté. « Le bateau va couler, quittez, allez-vous en! » Mais j'avais beau crier, certains ne m'entendaient pas. D'autres me regardaient en haussant les épaules. J'étais à bout de souffle, le naufrage semblait inévitable. Toute une prémonition!

Le bateau coulait et j'ai espéré du secours : que l'Évêque intervienne de façon rapide pour que je puisse réintégrer la communauté. Les jours ont passé et rien n'a bougé. J'ai donc compris que je ne retournerais jamais au couvent. Tous ces événements ont évidemment modifié ma destinée. C'est ainsi qu'à vingt-huit ans, je suis retournée vivre chez ma mère, pas un sou en poche et sans aucune perspective d'avenir. J'avais presque tout perdu : les relations bâties, mon travail, ma demeure, mes amis. Sombrer dans le désespoir ou rebondir? Quelle direction allais-je prendre?

Le plan B

Quand j'envisage les choses d'une façon précise et que mon projet échoue, il ne me reste qu'à lâcher-prise. Les événements parlent, qu'est-ce que je comprends? Ce qui me semble une défaite ou un échec est peut-être une bénédiction camouflée. Demain viendra avec de surprenants bienfaits, je m'abandonne aux nouvelles circonstances en toute confiance.

7

Avoir confiance

confession d'une ex-religieuse, épisode CINQ

PAR MARIE-JOSÉE

Quatre semaines après avoir quitté la communauté, j'écrivais ceci dans mon journal intime : « Dieu veille sur moi et je me suis réfugiée dans un coin de paradis. Je réapprends l'essentiel: dormir, manger, rire, bouger. Hier, dès mon réveil, j'ai salué le nouveau jour avec le sourire aux lèvres! Cela fait plus de trois ans que je ne me suis pas sentie émerveillée de la sorte. » Quand on subit une pression psychologique depuis longtemps, le corps et l'esprit ont besoin d'être rééduqués. Sans ma famille et quelques précieux amis, je n'y serais jamais parvenue. Je leur dois ma réhabilitation. Ce *burnout* m'a appris à accepter l'aide psychologique et financière des autres. J'ai mis de côté mon orgueil et j'ai accepté le soutien de mon entourage. Grâce à leur amour, j'ai recommencé à croire en moi. Pressentaient-ils déjà l'existence heureuse qui m'attendait?

Six mois ont passé et j'ai décroché un emploi comme animatrice de pastorale dans une école secondaire privée. À cause de mes études en communication, on m'a aussi offert un poste en relations publiques. De nouveau en appartement, ma famille a pourvu largement à mon confort : argent, meubles, etc., et j'ai même eu droit à une voiture neuve!

Puis, j'ai rencontré l'amour et, pour lui, je me suis exilée dans une nouvelle ville. J'ai été rapidement recrutée par une grande compagnie d'assurances et la femme d'affaires en moi s'est à nouveau révélée. Le temps a passé sous le signe de l'abondance : j'ai donné naissance à un magnifique petit garçon et j'ai même eu l'audace de démarrer ma propre entreprise. Mes années difficiles s'éloignaient et j'essayais tant bien que mal de me débarrasser d'un dangereux poison.

Jamais je n'aurais cru éprouver autant de colère envers Gisèle. Abuser de la conscience et de la bonne foi des gens représentait une faute impardonnable à mes yeux. Il m'a fallu un an, après mon départ de la communauté, pour que ma fureur se transforme en indifférence. Son comportement m'a fait perdre beaucoup d'illusions sur la race humaine : nous sommes capables du meilleur comme du pire. Depuis, j'ai moins d'attentes envers les gens et je ne m'étonne plus en percevant leur côté sombre. Par contre, je crois profondément qu'il y a une lumière en chacun. Entre aimer et détruire, le choix n'est pas toujours facile. Pardonner à Gisèle m'a pris sept ans. Un long chemin parsemé de rechutes. Longtemps, j'ai cru que j'avais vécu trois années de trop en communauté. Maintenant, je sais que je ne changerais rien à ces six années, tellement j'ai de gratitude pour tout ce que j'ai appris.

Malgré tout, mon pardon n'était pas complet. Il fallait que je pardonne à quelqu'un d'autre : *à moi!* Je suis l'unique responsable de ce que j'ai vécu. Une constatation choquante pour de nombreuses personnes qui m'ont dit parfois qu'elle avait plutôt abusé de ma naïveté. J'étais adulte, je n'avais qu'à partir plus tôt. Je me suis pardonnée d'être allée aussi loin dans cette forme d'autodestruction et je n'ai plus personne à blâmer. Enfin libre, je profite du riche enseignement de toute cette aventure. Surtout, je ne ferai plus jamais taire ma conscience. Cet extrait du livre *Un cours en miracles* résume parfaitement mon état intérieur : « Tout ton passé a disparu, sauf sa beauté, il ne reste rien qu'une bénédiction. » Et Dieu dans tout ça?

Nous sommes toujours *les meilleurs amis du monde* bien entendu! Je ne lui ai jamais reproché les événements troublants causés par Gisèle. Pas plus que je ne suis en guerre contre l'Église. Le problème n'est pas la religion, mais ce que l'homme en fait. Et Dieu demeure un spectateur impuissant devant l'abus de pouvoir et la mesquinerie. Tout ce qu'Il me demande, c'est d'avoir confiance en la vie, en l'autre, en demain.

La communauté existe toujours, Gisèle a été forcée de quitter et je me suis rebâtie. Ce qui me semblait si dramatique, il y a maintenant quelques années, ne l'est plus. *Tout est bien qui finit bien!* La plus grande leçon que j'en ai tirée? Je sais aujourd'hui que j'aurais pu, à n'importe quel moment de cette épreuve, *AVOIR CONFIANCE*. Même dans les moments les plus obscurs, ma bonne étoile n'avait pas cessé de briller pour autant. Il n'en tenait qu'à moi de fixer avec courage ce point lumineux!

À nouveau debout

Je possède la force nécessaire pour me relever. Peu importe la difficulté ou l'obstacle, je me fais confiance. Cela comporte une importante leçon qui me permettra de viser de plus hauts sommets. Je fais l'inventaire de ce qui est positif dans mon existence et je garde la conviction que TOUT concourt à mon bien.

8

Rencontre avec une voyante

PAR JULIE

On m'avait fortement recommandé madame C. « Attention! Cette voyante ne prédit pas l'avenir, m'avaient prévenues mes amies. Elle met plutôt l'accent sur les enjeux actuels de ton cheminement. » J'étais cependant très sceptique. Malgré le succès obtenu au travail, l'achat de ma maison de rêve, la venue de mon premier enfant, je ressentais de moins en moins de joie et de satisfaction. Tout me semblait être une corvée. Pourtant, n'avais-je pas atteint la plupart des objectifs que je m'étais fixés? Ayant besoin de comprendre ce qui se passait au fond de moi, j'ai donc décidé de consulter cette *voyante*.

« Tu construis de beaux édifices, hauts, solides, modernes. Tu y mets tout ton talent, ton énergie et ta passion. Mais une fois qu'ils sont terminés, tu ne ressens aucune fierté. Tu te convaincs alors que le projet manquait d'envergure. En espérant que la prochaine visée comblera ta quête de bonheur, tu fonces tête première et tu cherches un autre édifice à ériger. Le problème, Julie, c'est que tu aimes les maisons de campagne », décréta madame C. Que voulait-elle me faire comprendre?

La vie fait bien les choses. Avec le recul, les événements pénibles nous enseignent souvent de grandes leçons. Peu de temps après ma consultation avec madame C., j'ai cessé de travailler pendant six semaines, à cause d'une labyrinthite. Le sol valsait sous mes pieds et un rien m'épuisait. Je dormais toute la journée afin d'amasser suffisamment d'énergie pour m'occuper de mon bébé, le soir venu. Avais-je besoin de cette maladie dans mon quotidien ultra occupé? Tout à fait!

J'ai détesté cette labyrinthite qui me clouait au lit. Cumulant les rôles de conjointe, mère, femme d'affaires, amie, propriétaire d'une maison et d'un condo, je voulais que tout soit parfait. J'étais capable d'en prendre! Je me fichais d'être toujours fatiguée ou facilement frustrée. Ressentir de la joie me demandait souvent un effort. J'étais devenue une machine qui devait *produire* sans jamais se remettre en question. Mise au chômage par la maladie, j'ai enfin pu trouver du temps pour réfléchir.

Qu'est-ce que j'aime dans la vie? Si l'argent n'était plus un souci, comment occuperais-je mon temps? Quels sont mes rêves? À bien y penser, j'ignorais ce que je voulais faire de mon avenir. Quelle surprise de le constater! J'ai mis plusieurs années avant de trouver des réponses à mes questions. Elles me sont venues au fil de mes lectures en croissance personnelle et grâce à des séances d'écriture dans mon journal intime. Maintes fois, j'ai pris un weekend à la campagne afin de profiter du silence. J'ai également découvert la méditation et la prière. En établissant un contact plus intime avec moi-même, je me suis redéfinie. Terminés les magnifiques *immeubles* pour éblouir la galerie. Oui, je préfère les *maisons de campagne* et j'ai enfin compris l'importance de bâtir selon mes valeurs. Maintenant, j'investis mon temps, mon énergie et mon talent dans des projets qui m'emballent.

À la découverte de soi

Qui suis-je? Quelles activités font chanter mon cœur? Quels projets est-ce que je désire réaliser dans la prochaine année? Dans cinq ans, dix ans et même vingt ans? Autant de questions qui méritent mon attention. Après tout, c'est MA vie qui passe. Je m'engage donc à découvrir mes véritables aspirations. En faisant preuve de patience et d'écoute, elles me seront indéniablement révélées.

9

Une reine, moi?

PAR MARIE- JOSÉE

La rencontre que m'avait rapportée Julie avec une voyante avait piqué ma curiosité. J'occupais un bon emploi, mon amoureux et moi avions acheté une maison et nous parlions d'enfants. Après tant d'années à me chercher, enfin je me stabilisais! Toutefois, je ressentais un vide. Je me sentais comme un lion en cage, prêt à sauter sur tout ce qui bouge. Sous mes allures de femme calme se cachait une profonde agressivité. Pourquoi? Le bonheur ne se résumait-il pas à un bon revenu, une famille, une résidence, une piscine et un BBQ? À mon tour, j'ai pris rendez-vous avec madame C.

Elle n'y alla pas de main morte : « Ta vie ressemble à un cercle. Au centre, il y a un trône avec ton nom écrit au-dessus. Mais tu refuses d'y prendre place et tu passes ton temps à vivre près des limites du cercle. Tu es une reine, une femme de pouvoir. Pourquoi jouer à l'assistante et à la femme de service alors que tu es faite pour gouverner? Tu crois bien te connaître, mais tu es loin de savoir qui est la vraie Marie-Josée. » Et vlan dans les dents, comme le dit l'expression populaire! J'étais K.-O. Cela faisait des années que je cheminais intérieurement, comment pouvais-je aussi mal me connaître?

J'ai suivi mon premier cours sur la pensée positive à l'âge de quinze ans. À dix-neuf ans, j'ai participé à un symposium sur la spiritualité. Ma vingtaine a débuté avec une retraite et une cure aux raisins. Je lisais des tas de livres sur la connaissance de soi. Mon entourage me félicitait pour mes conseils judicieux et motivants. Pour couronner le tout, j'avais même été religieuse! On me disait que j'avais beaucoup de sagesse pour mon jeune âge, j'étais *madame Évoluée*. Mes démarches sur le plan personnel ne sont-elles pas une preuve de mon avancement? Je ne pouvais pas être aussi loin de ma vérité personnelle! Et pourtant...

Force est d'admettre que je fuyais la vraie Marie-Josée. Je préférais investir du temps dans les projets des autres. Qu'ils soient conscients de leur potentiel et de leur grandeur, voilà ce qui comptait. Le seul hic, c'est que je ne croyais pas en moi. Je tournais le dos à mes propres rêves, je faisais taire mes désirs. Au fil des ans, je m'étais *déconnectée.* Puisque je n'entendais plus la voix de mon cœur, je cherchais des réponses à l'extérieur, que ce soit dans des livres, des séminaires, des retraites. Je me fiais à autrui pour savoir ce qui était bon pour moi. Telle une femme de service refoulant son propre pouvoir, j'obéissais. Mon *journal intime* contenait de belles pensées spirituelles, mais j'évitais la vraie question : toi, Marie-Josée, qui es-tu et que veux-tu?

« Tu es une reine. » Ces mots résonnent encore en moi. N'était-ce pas une invitation à m'accorder de l'importance? J'ai donc introduit une nouvelle forme d'amour dans mon cheminement : l'amour de soi. J'ai pris la responsabilité de mon existence en cessant de blâmer les autres ou les circonstances. J'ai investi du temps dans des activités qui me passionnaient. J'ai appris à dire non. J'ai même changé de carrière pour vivre selon mes priorités. Lentement, mais sûrement, la vraie Marie-Josée s'est enfin dévoilée. Quelle libération de laisser tomber mes masques! Rien n’est plus énergisant que d’aimer ce que l’on est et ce que l’on fait. Apprécier qui je suis, voilà une promesse que je renouvelle chaque matin au réveil!

Plein pouvoir

Je m’arrête pour écouter les battements de mon cœur, car ils renferment une puissance indescriptible. Je bénéficie du privilège de vivre et de la possibilité de faire ce que je veux de ma vie. Je suis magnifique! Je me réapproprie ma grandeur en posant une action que je sais nécessaire à mon avancement.

10

Suivez l'exemple des petits enfants

PAR JULIE

« Reste avec moi maman. Ne t'en va pas! » me supplie ma fille en pleurs. Sa mère, la personne qui a toujours pris soin d'elle, qui la protège et qui l'aime, veut l'abandonner sur une nouvelle planète. Âgée de six ans, elle vit sa première journée d'école... en anglais! Je lui arrache littéralement les bras d'autour de mon cou. « Il faut que j'y aille ma puce, ça va bien se passer. Maman revient te chercher dans deux heures, c'est promis », lui dis-je, en cachant ma propre angoisse. « Non, maman, s'il te plaît! » argumente-t-elle, au bord de la panique. Je suis partie, le cœur en mille miettes.

Le monde douillet que ma fille connaissait depuis sa naissance s'est effondré. Mon mari avait décroché un contrat de travail aux États-Unis et nous sommes déménagés pour quelques mois. Toute une adaptation pour une fillette! Une nouvelle maison et une nouvelle école, où elle devait apprendre à se sentir en sécurité. De nouveaux camarades de classe, en plus des enseignants étrangers à qui il lui fallait octroyer sa confiance. Pour ajouter au défi, personne dans ce nouvel environnement ne parlait un mot français. Malgré la culpabilité qui me rongeait les sangs, je détectais en elle la force de s'adapter. Avais-je raison?

Elle a pleuré durant les trois premiers jours. Au bout de deux semaines, j'ai vu apparaître un sourire sur ses lèvres. Après un mois, son professeur m'annonça qu'elle devenait de plus en plus à l'aise dans la classe. Quelle bonne nouvelle! Ainsi que je la croyais capable, Jade avait relevé le défi. Au fait, si j'avais été confrontée au même genre de situation, aurais-je été à la hauteur? Imaginons que mon employeur me transfère en Chine. D'abord, me repérer dans la ville et à l'intérieur du nouvel édifice où je travaillerais. Ensuite, m'entendre avec mon nouveau patron, que je l'aime ou non, en plus de faire ma place auprès de mes nouveaux collègues. Ah! Oui, j'oubliais : tout ce beau monde parlerait chinois! Après combien de jours me serais-je affolée et aurais-je donné ma démission?

Faire des changements n'est certainement pas chose facile. Mais on y survit. Ceux auxquels ma fille a dû faire face étaient radicaux et plutôt inusités. Notre déménagement dans un autre pays me fait réaliser qu'en vieillissant, je m'installe dans une routine confortable et que l'inconnu m'apparaît plus vertigineux. Je tisse des liens invisibles qui m'attachent à ma maison, mon travail, mon quartier, ma voiture, mon salaire, et j'en passe. Ces liens me créent une illusion de sécurité. Qu'arriverait-il si une occasion en or se présentait? Et si l'accepter nécessitait une modification majeure de mon quotidien? Il n'y avait aucun doute dans mon esprit que mon enfant s'ajusterait à sa nouvelle réalité. Avais-je cette même confiance en mes propres capacités?

Quatre mois plus tard, j'écoutais ma fille lire en anglais et j'en avais les larmes aux yeux. « Bravo ma grande, tu es vraiment bonne! » Elle m'a regardée, gonflée de fierté. Si elle avait été consciente de tous les apprentissages à faire, elle aurait été paralysée par la peur. Est-ce la raison pour laquelle les enfants s'adaptent avec plus de facilité? Parce qu'ils n'ont aucune idée de ce qui les attend et qu'ils découvrent le chemin à emprunter un jour à la fois? Quelle excellente stratégie! Atteindre ses buts un pas à fois, un jour à la fois. Ne pas s'inquiéter de la destination finale, seulement accomplir la bonne action aujourd'hui. Le vrai courage, c'est de s'engager et de ne jamais s'arrêter. Suivre l'exemple des petits enfants. N'y a-t-il pas quelqu'un qui nous a déjà enseigné cela?

S'attendre au meilleur

Sortir de ma zone de confort et déployer ma capacité d'adaptation, c'est la seule façon d'obtenir le meilleur. En optant pour une attitude sereine face à l'inconnu, je mobilise ainsi des ressources insoupçonnées qui sommeillent en moi. Les changements que je connais contribuent à mon avancement, je ne crains rien!

11

À chacun ses héros

Par Julie

Grisée d'avoir passé la journée à écrire, je m'accorde un moment de détente. Les filles dorment paisiblement, mon *chum* est au travail et je profite de cette soirée solitaire pour me ressourcer. Espérant trouver quelque chose de captivant à regarder à la télé, je zappe de façon machinale. Mes espoirs sont minces car, généralement, ce média carbure au drame et au sensationnalisme. Parmi les douze chaînes qui déblatèrent à propos de potins divers qui ne m'intéressent pas, une soirée de gala à CNN attire mon attention. « Peut-être aurai-je droit à une prestation de mon chanteur préféré? » me suis-je dit mentalement. Ce soir-là, j'ai trouvé IMMENSÉMENT plus!

Chaque année, CNN organise un projet intitulé *CNN Heroes*. Une plateforme pour mettre en valeur des gens ordinaires qui, par leurs actions, changent la face du monde. Par hasard (vraiment?), j'assistais à leur soirée de récompenses. Dix personnes étaient nominées pour le titre de Heroes 2009. Quelle incroyable source d'inspiration! J'avais l'impression d'être branchée à la chaîne des bonnes nouvelles. La télé mettait à l'honneur le dépassement de soi, l'amour, le partage et l'espoir. Tous ces êtres d'exception m'ont profondément émue par leur générosité et leur détermination à *améliorer le monde*. Une des élues a transformé à jamais ma façon de voir l'adversité.

Andrea Ivory, 50 ans, a survécu à un cancer du sein. En écoutant la vidéo[1] où elle expliquait son projet, ses paroles m'ont remuée : « Quand j'ai eu le cancer du sein, je n'ai pas demandé : Pourquoi moi? À la place, j'ai demandé : Pour quelle raison? » Andrea savait que son discours intérieur influencerait son attitude envers son combat. Plutôt que de se laisser détruire par cette épreuve, elle a choisi de lui donner un sens. Cette femme a non seulement vaincu sa maladie, elle a aussi créé un programme gratuit de dépistage du cancer du sein. Allant de porte en porte, elle offre des mammographies gratuites à celles qui sont sans assurance maladie. J'étais impressionnée par ses réalisations, mais surtout par le message qu'elle me lançait.

Si je devais faire face à une telle tragédie, ne flancherais-je pas à prime abord? Rien de plus normal et humain que d'être bouleversée par une telle nouvelle. Mais maintenant, Andrea m'offrait des paroles auxquelles je pourrais m'accrocher afin d'aller de l'avant. Elle me rappelait que, face aux épreuves, nous devons choisir notre attitude et nos actions. C'est important pour nous et tout autant pour notre entourage. Que nous le voulions ou non, nous nous influençons tous mutuellement. Notre réaction a des répercussions autant sur soi que sur les autres. De façon concrète, elle a aidé cinq cents femmes défavorisées à possiblement éviter un diagnostic de cancer avancé. Combien sommes-nous à avoir été réconfortées ou inspirées par son exemple? Ai-je besoin d'attendre le pire pour mettre ses enseignements en pratique?

Mon existence est parsemée de mille et un petits défis où je peux choisir mon attitude. Quand mes filles crient ou se disputent, pourquoi ne pas faire preuve de patience et les aider à résoudre leur conflit? Si mon amoureux et moi vivons un désaccord, j'essaie de garder mon calme et de comprendre son point de vue. Un client est déplaisant avec moi? Je peux rester polie et l'aider quand même, etc. Ces situations courantes sont de vraies occasions de croissance. Et, chaque fois que je vis une difficulté, je me remémore la question : *pour quelle raison?* J'évite ainsi de jouer à la victime et je passe plutôt en mode solution. Andrea ne le saura jamais, mais des centaines de femmes tirent profit de son témoignage. Elle est la preuve vivante que nous avons du pouvoir sur notre attitude et qu'on ne sait jamais à quel point celle-ci transformera les gens qui nous entourent!

Se placer du côté du soleil

Ressasser les tenants et aboutissants de l'adversité me garde dans l'ombre. Je n'ai pas à souffrir plus qu'il ne le faut. Je me concentre sur les gestes constructifs à poser et je goûte à tous les attraits du quotidien. Peu importe le dénouement de la situation en cours, je choisis de croire que l'avenir est radieux.

12

Mon odyssée professionnelle

PAR MARIE-JOSÉE

Mon fils passe trop de temps à la garderie. Je suis toujours à la course! Travailler à temps partiel serait l'idéal. Voilà où en étaient mes réflexions. Quel défi que de reprendre le boulot après quinze mois de congé de maternité. Cherchant des solutions pour augmenter mon efficacité, je souris quand Annie me parla de la vente en direct de produits de cuisine, son nouveau passe-temps. « Si je m'équipe comme il se doit pour cuisiner, la préparation des repas sera plus simple! » me suis-je dit. J'ai donc accepté d'être hôtesse pour une présentation de ces articles culinaires. J'ignorais que cette soirée allait grandement influencer mon avenir.

En finalisant les commandes, Annie me lança : « Trois de tes amies feront une présentation chez elles. Pourquoi ne saisirais-tu pas cette chance? Elles seraient heureuses que tu deviennes leur conseillère! » Instinctivement, je lui ai répondu : « Faire du marketing de réseau? Soyons sérieuses, Annie. Même si ça semble amusant, ce n'est pas une carrière! » J'avais l'impression que j'allais perdre mon temps, mais j'ai quand même accepté son invitation à leur réunion mensuelle.

Le bonheur appartient aux gens ouverts d'esprit et, en vieillissant, j'ai appris à laisser la chance au coureur.

Ayant en tête certains préjugés, je fus abasourdie par la scène qui se présentait à moi : des femmes jeunes et dynamiques, dont la moyenne d'âge ne dépassait pas vingt-huit ans. J'ai prêté une oreille attentive à leurs propos. Quelques femmes faisaient un excellent revenu comme directrice et surtout, elles appréciaient leur qualité de vie. Était-ce de la poudre aux yeux? Pour en avoir le cœur net, j'y suis retournée une seconde fois. On me demanda alors de faire la liste de mes cinq priorités dans la vie. Le plus important, c'était que mon fils passe au maximum sept heures par jour à la garderie. En écrivant ces mots, mon monde intérieur bascula : à quoi bon une carrière bien établie si, en bout de ligne, je ne respecte pas ma priorité principale?

Durant tout le mois de janvier 2008, j'ai retourné cette question dans ma tête. Mon travail ne m'enchantait pas. Je le faisais parce que j'avais une hypothèque et des factures à payer. Mon cœur me disait que cette opportunité d'affaires était une occasion parfaite pour moi. Et, par le fait même, fiston passerait moins de temps à la garderie. Mais qui prendrait le risque de laisser un revenu annuel de 50 000$, un bon fonds de pension et trois semaines de vacances par année? L'insécurité financière est la seule chose qui me retenait à cet emploi. Pour y voir clair, j'ai appelé mon mentor. Cette personne plus sage et plus expérimentée que moi, me donne toujours l'heure juste, sans chercher à me faire plaisir. Il décrocha le combiné : « Salut papa...»

« Fonce, Marie-Josée! Et si tu as besoin d'argent, je t'aiderai. » Une invitation miroitante à jouer le tout pour le tout. J'ai donc démissionné de mon boulot pour démarrer ma propre entreprise. Après deux ans de travail et de détermination, j'ai doublé le revenu que me procurait mon ancien emploi. Portée par l'énergie du succès, je me suis aussi mérité trois voyages et une Mustang convertible. Et, le plus important : mon fils ne passe pas plus de sept heures par jour à la garderie. De quoi était faite mon insécurité, sinon d'une simple illusion? Quand c'est notre cœur qui dicte notre décision, l'Univers nous appuie et conspire à notre réussite. J'en ai maintenant la preuve!

Bâtir sur le roc

Mes priorités constituent le sol sur lequel je construis mes relations, ma famille, ma carrière. Je fais en sorte de solidifier mes fondations et de ne laisser rien ni personne me détourner de ce qui compte le plus à mes yeux. Pourquoi ignorer ma soif de changement et d'équilibre? Accorder mon quotidien à mes valeurs est tout à fait souhaitable et réalisable.

13

Dieu, un mot qui fait peur

PAR JULIE

Couchée sur la table de traitement, je demande à ma nouvelle massothérapeute : « Depuis quand exerces-tu ce métier? » Sa réponse me surprit : « Depuis deux ans seulement, mais j'aime vraiment cela! Durant vingt-cinq ans, j'ai été secrétaire pour un cabinet d'avocats réputé », ajouta-t-elle. Ses propos piquaient ma curiosité. Pourquoi cette femme dans la cinquantaine avait-elle largué une carrière stable plutôt que de conserver ses acquis et attendre sa retraite? J'ai osé lui poser la question.

« Un livre a changé ma vie », me répondit-elle. Même si j'étais très appréciée au travail et que mes patrons me traitaient comme une reine, j'y mourais à petit feu. Lasse de ma routine, j'aspirais à un emploi qui me stimulerait à nouveau. Ma grande fille ayant quitté le nid familial, je pouvais envisager de nouveaux choix. » Son explication m'a fait réfléchir. À vingt-sept ans, je venais moi-même de quitter un emploi qui ne me nourrissait plus. Cela m'avait pris tout mon courage. Ayant consacré quatre années à étudier la physiothérapie, je m'étais attachée au prestige et au respect que la société octroie aux professionnels. De plus, ce métier m'assurait une sécurité d'emploi jusqu'à la fin de mes jours. Beaucoup de lâcher-prise! Je devinais que le bouquin dont me parlait ma massothérapeute livrait un message puissant. Il me fallait le titre de cet ouvrage!

Quelques jours plus tard, je me suis procuré *Un retour à l'amour*, de Marianne Williamson. Malheureusement, mon enthousiasme à découvrir cette lecture si prometteuse s'est estompée dès les premières pages! Trop d'insistance sur le rôle de *Dieu* dans notre existence et comment *Sa* présence pouvait transformer notre quotidien. Or, le mot *Dieu* n'évoquait chez moi que de la crainte et du doute. Marie-Josée, elle, vivait une relation étroite avec *le gars d'en haut* et nous en discutions de temps à autre. Je trouvais le sujet intéressant au niveau intellectuel, mais ma peur de l'endoctrinement m'empêchait d'aller plus loin. Curieuse, j'ai quand même poursuivi ma lecture. Une suite d'événements m'indiquait clairement qu'il était temps pour moi d'ouvrir mon esprit et mon cœur à la spiritualité.

Au volant de ma voiture, je réfléchissais au contenu du fameux livre. *Marianne Williamson* décrivait une force supérieure que l'on peut nommer Dieu, Bouddha, Vie, Esprit, ou tout autre nom. Elle ne l'associait à aucune religion et prônait surtout l'importance d'entrer en relation avec une telle force. Jusque-là, mes notions spirituelles se limitaient à mes cours de catéchèse à l'école primaire. Sans totalement adhérer à *l'histoire* que raconte la religion catholique, j'ai toujours perçu la présence d'une puissance supérieure. Subtilement, ma lecture me dévoilait de nouvelles possibilités. Alors que j'appelais Marie-Josée sur mon cellulaire afin d'en discuter, mon attention se porta sur le pare-chocs de l'auto devant moi. On pouvait y lire : Jésus t'appelle. Quelle bonne blague! Mais en était-ce une?

Aujourd'hui, je me renseigne encore sur le monde de l'*Absolu* en même temps que je pratique la méditation et la prière. Cela m'aide à rester en relation avec l'invisible, tout en me connectant à la meilleure partie de moi-même. Mon estime personnelle et ma créativité s'en trouvent décuplées. Je succombe moins à mes peurs. Comprenant mieux l'essence de l'amour, je tente d'en faire le moteur de ma vie. Non, le mot *Dieu* ne m'effraie plus. L'Esprit n'a-t-il pas su *frapper à ma porte?* Progressivement, il a mis sur ma route les bons écrits, les bonnes personnes ainsi que les bons événements. En vérité, dans cette quête aux allures mystiques, c'est moi-même que j'ai trouvée!

Accueillir les signes

Ma conscience me répète continuellement le même message? Je trouve un livre qui m'éclaire quant à l'issue d'un problème? J'éprouve une envie irrépressible de visiter un lieu précis? Avec discernement, je réfléchis à ce que je perçois. Il s'agit peut-être d'idées capables de m'inspirer une nouvelle voie.

14

Toc, toc, toc… entrez!

Par Marie-Josée

« Wow! Ça c'est un loft! » Dès l'instant où j'ai mis les pieds chez Ève, je me suis sentie très à l'aise. Elle attendait vingt-quatre personnes pour sa présentation. L'ambiance était des plus fébriles. Tout en disposant mes plats pour la présentation, je jetais un œil ici et là. La déco me fascinait. Un style rétro-chic composé de bibelots rappelant les années '70. Un vrai musée! En discutant avec elle, j'ai compris que chaque objet avait un sens particulier et sa raison d'être. Ève me parla aussi de son blogue au titre accrocheur : *Toc Toc Toc... Entrez!* La soirée fut un succès. Aussitôt revenue à la maison, je me suis précipitée sur Internet.

En explorant son blogue, j'ai découvert un espace Web où toute chose, tout événement banal avait de l'importance. Ève décrit constamment son quotidien en mots et en photos. Elle raconte ses voyages, commente des films et partage ses recettes. En plus de présenter son loft, elle nous informe de l'aménagement de son *walk-in*. J'ai même eu droit à une visite *en privé* et j'ai été émue en voyant son tout premier vêtement : un minuscule chandail jaune moutarde. Sa mère l'avait tricoté alors qu'elle était enceinte d'elle. Dans cette société où tout est instantané et jetable, ce blogue apporte une fraîcheur sans pareille. J'admire l'audace de cette femme! Prendre le temps de savourer notre existence, d'en faire quelque chose de sacré, n'est-ce pas ce qui compte?

À vrai dire, il m'arrive souvent de regarder ce que JE N'AI PAS plutôt que d'apprécier les bienfaits que m'offre chaque journée. L'insatisfaction me poursuit comme mon ombre. Le petit diable sur mon épaule me dit des choses telles que :

« Franchement, Marie-Josée, tu aurais dû faire ceci plutôt que cela. »
« Regarde, tu as encore raté une belle occasion! »
« Ne pourrais-tu pas être plus vigilante? »
« Pas question de prendre du temps pour toi – tu pourrais devenir paresseuse. »

Naturellement, son doux rival enchaîne: « Ma chère, viser de hauts sommets s'avère une noble quête, à condition que la gratitude soit ton guide. À quand remonte la dernière fois où tu as remercié la Vie? »

À travers son blogue, Ève célèbre l'humanité du troisième millénaire de façon bien branchée. Pas de grandes théories spirituelles, pas de morale, juste de l'émerveillement. En donnant un sens et une valeur à des situations ordinaires, elle a trouvé sa propre façon de dire MERCI! Ses propos s'apparentent à une liste de cadeaux octroyés par l'Univers, tout comme plusieurs grands penseurs positifs nous recommandent de le faire. Combien de gens se plaignent du *métro-boulot-dodo?* Ève prouve que la routine demeure une excuse bidon. Oui, il se peut que le quotidien soit routinier. Est-ce une raison pour ne pas l'apprécier et le respecter?

Je ne crois pas au hasard. Un proverbe dit que *c'est le nom que Dieu se donne pour garder l'anonymat*. En plein démarrage de notre propre site Internet, Ève était la confirmation qu'il me fallait. Ma rencontre avec elle se voulait un message de foncer et de croire en mes projets. Cela me stimulait à trouver ma façon de célébrer le quotidien. Je vais régulièrement sur *Toc Toc Toc... Entrez!* et j'y trouve toujours une situation ou une photo inspirante. Cette simplicité me ramène à l'essentiel : je prends le temps de sentir le parfum d'une bougie, de savourer un nouveau plat, d'apprécier le soleil, et même la pluie et la neige. Mine de rien, je goûte au bonheur, un peu plus chaque jour!

Créer mes rituels

Mon esprit a besoin de repères et de traditions. Il n'en tient qu'à moi de mettre de la musique et de la couleur dans ce monde automatisé. Collection de tous genres, lecture quotidienne, brunch dominical en famille, petit potager, prière au coucher, pratique régulière d'un sport, etc. Il y a mille et une façons de m'enraciner, je dois trouver les miennes, celles qui ajoutent du pétillant à ma vie.

15

Ma cape de Superman

PAR JULIE

Ça y est, je suis prise dans le trafic. « Zut! » La route 112 est complètement bloquée. Je regarde ma montre : 16 h 05. La garderie ferme à 16 h 30. En temps normal, j'y serais en moins de huit minutes, mais là, j'avance à pas de tortue. Les options sont restreintes, car le terre-plein m'empêche de faire demi-tour. Je dois donc me rendre à la prochaine sortie. Mentalement, je me convaincs de prendre mon mal en patience et je fais taire la petite voix en moi qui me suggère de passer par-dessus le terre-plein. « Surtout ne pas l'écouter. Des plans pour que je me fasse arrêter! » Malheureusement, je n'étais pas au bout de mes peines.

16 h 20. Je téléphone à la gardienne de mes filles sur mon cellulaire.

« Chantal, je vais être en retard. Un accident a créé un trafic monstre sur la route 112 et je suis prise au piège. Désolée...! »

« Aucun souci, prends ton temps, sois prudente. » En quinze minutes, j'avais parcouru moins de cent mètres. « À ce rythme, mes filles vont dormir chez la gardienne », grommelai-je. Ma frustration et mon anxiété grimpèrent d'un cran. Et toujours cette petite voix qui me harcelait. Comme si j'avais besoin de ça!

Arrivée à ma sortie, j'ai dû suivre le troupeau et m'engager dans un long détour où il était absolument impossible de rebrousser chemin. Une heure trente plus tard, je me retrouvais en sens inverse, exactement à mon point de départ. À bout de nerfs, pendant que mes larmes se mettaient à couler librement, je contactai Chantal à nouveau pour l'aviser que j'arriverais dans une dizaine de minutes. J'essayais de me raisonner : « Voyons, ne pleure pas pour ça. Personne n'est mort, tes filles sont en sécurité. » Je m'en voulais de ne pas avoir su m'adapter à la situation. Une fois apaisée, ma petite voix intérieure me dit très clairement : « Apprends la leçon. Si tu m'avais écoutée, tu serais arrivée à la garderie à temps. » C'est à ce moment qu'il s'est passé quelque chose d'extraordinaire.

En conduisant, j'ai fait un rêve éveillé. Tel Superman, je volais au-dessus de la route et j'observais l'embouteillage. Je me voyais à bord de mon auto suivant le chemin emprunté par tous malgré cette *petite voix* qui me suggérait d'agir autrement. De là-haut, la décision n'était pas difficile à prendre. Le cul-de-sac était évident, nous étions tous en ligne pour un grand virage en U. Le risque de passer par-dessus le terre-plein en valait certainement la peine! Y-a-t-il une partie invisible en moi qui est capable de survoler les situations et de voir la meilleure solution? Communique-t-elle avec moi grâce à cette voix subtile? Est-ce cela l'intuition? Tous ces messages que j'entends depuis des années et que je refuse d'écouter, à cause de mon insécurité, sont-ils des appels pour m'amener à ma vraie destinée?

Cet événement anodin m'a enseigné plusieurs leçons :

- Paniquer et s'énerver ne mènent à rien.

- Faire preuve de souplesse est essentiel dans la vie. Quand le plan adopté ne mène nulle part, il vaut mieux s'ouvrir à de nouvelles perspectives que de s'entêter.
- Par insécurité, on ne sort pas souvent des sentiers battus. Si on ne veut pas être un mouton et suivre le troupeau, on doit prendre des risques.

Aujourd'hui, lorsque j'entends la voix de mon intuition, je suis à l'écoute. Je m'arrête et je porte attention. Que me dit-elle exactement? Même quand la suggestion me semble insensée, je ne la rejette pas pour autant. Je m'engage à la laisser mûrir. L'écriture m'aide à y voir plus clair. C'est magique! Je reçois des idées, je vois de nouvelles possibilités, un scénario m'est dicté, mon intuition me guide. Devant une situation imprévue ou un choix difficile à faire, je sors ma cape de Superman et je regarde la situation d'un point de vue global.

Voir de haut

Je prends du recul et je me regarde agir comme si j'étais le spectateur de ma vie. Est-ce que mes faits et gestes ont l'impact souhaité sur mon entourage? De simples modifications à mon attitude personnelle peuvent provoquer des changements bénéfiques dans ma vie et celle de ceux que je côtoie. J'examine les événements sous un autre angle, j'obtiendrai ainsi de nouvelles réponses.

16

Soupe au lait

PAR MARIE-JOSÉE

« Toi, Marie-Josée, je dirais que tu es soupe au lait. » Assise à mon pupitre de 6e année, je reste bouche bée devant les paroles de mon enseignante. Ça ne ressemblait vraiment pas à un compliment. N'y avait-t-il pas de meilleurs mots pour me décrire? J'ai avalé ma pilule et je suis rentrée à la maison avec un goût amer dans la gorge. Vingt-six ans plus tard, je garde une image limpide de ce moment. Étrange, non? J'ai ma théorie personnelle là-dessus et je crois que cette anecdote constituait un important message du destin. À douze ans je ne pouvais pas le saisir, mais en vieillissant, les mots de cette enseignante ont pris tout leur sens.

Définition de *soupe au lait*, selon Wikipédia : se dit d'une personne particulièrement susceptible et qui s'emporte facilement. Exactement moi! Ma nature enflammée m'a fait poser des gestes que j'ai regrettés. Je suis un volcan. J'ai longtemps cru qu'il fallait se mettre en colère pour que les choses changent. En fait, la colère ne règle jamais rien. Elle suscite la peur, sans plus. Et que dire de la susceptibilité, qui fait aussi monter le lait dans la soupe! Tout prendre *personnel*, se vexer, s'offenser pour des riens, je connais. La misère des gens susceptibles consiste à se sentir menacés dès qu'un obstacle se présente. Est-ce qu'un problème nécessite de peser sur le bouton *panique?*

Je me suis tellement détestée de paniquer pour des bagatelles. Mon passage dans une grande entreprise a été ma planche de salut. J'y ai rencontré des leaders qui opéraient au mode *solutions*. Leur calme devant les problèmes et leur conviction à vouloir les résoudre m'ont profondément inspirée. J'ai eu envie de devenir comme eux. À partir de là, j'ai développé une technique pour évaluer si une contrariété nécessitait la panique. Je me posais la question suivante : Sur mon lit de mort, vais-je penser à cette situation ou à cet événement? Naturellement, dans 99% des cas, la réponse est à la négative. M'affoler n'en vaut donc pas la peine. Cette simple démarche me permet de prendre du recul et de rester en paix avec moi-même.

Toutes mes lectures sur le pouvoir de l'intention de même que la loi de l'attraction m'ont convaincue que nous sommes des êtres voués à l'Immensité. Il n'y a pratiquement pas de limites à ce que notre esprit peut accomplir. Bon, je n'en suis pas à faire repousser des membres du corps humain, mais je peux sûrement trouver une solution pour faire face aux obstacles qui se dressent sur mon chemin. D'ailleurs, je demande chaque fois à mon âme, à l'Infini de me montrer clairement la bonne façon de résoudre la difficulté en question. Une idée géniale me vient souvent à l'heure du coucher alors que j'ai un *flash* intérieur. Parfois, c'est une conversation ou un livre qui m'apporte la solution. Mes demandes ne sont jamais faites en vain. Alors pourquoi me priverais-je de l'aide du monde invisible?

La rédaction de ce texte est un très bon exemple de ce que j'avance. Étant très occupée ces jours-ci, je manque de temps pour prendre une pause et écrire. J'ai failli appeler Julie pour lui dire que je n'y arriverais pas, qu'il faudrait publier autre chose sur le blogue. Ça, c'est le mode *panique*. « Non, Marie-Josée, toutes les ressources sont là. Ce texte est déjà écrit quelque part en toi. Demande qu'il te soit dévoilé. » Un soir, j'ai donc ordonné à l'Univers de m'inspirer et de faire en sorte que j'écrive le tout en moins d'une heure. À mon réveil, je me suis installée devant l'ordinateur et une heure plus tard, je signais cette conclusion. Faire de la *soupe au lait* ne m'intéresse plus, trop épuisant. Je préfère croire en mon potentiel et en celui des autres, cette confiance est une énergie extraordinaire capable de résoudre bien des problèmes.

Incontestables solutions

En moi se dresse un monde où chaque problème peut être résolu. Pour y avoir accès, je souscris humblement aux circonstances actuelles. Ma réussite ne consiste pas à ne pas avoir d'ennuis, mais plutôt à dénouer brillamment les impasses. Je ferme les yeux et laisse venir à moi la meilleure façon de faire, où chacun en ressortira gagnant.

17

La hache de guerre

PAR JULIE

« Là, j'ai hâte que ça arrête. Je suis tannée de gérer le département des troubles. Je n'ai plus le goût de me battre », me dit Karine au téléphone. Ma copine avait eu sa part de soucis au cours des dernières années : perte d'emploi de son conjoint, maladie grave pendant son congé de maternité, hospitalisation de sa mère. Bref, de *gros* problèmes devant lesquels il aurait été facile de s'écrouler. Dès sa jeunesse, Karine avait dû apprendre à se défendre. Maintes fois, elle avait prouvé que les obstacles ne l'effrayaient pas. Elle est ainsi devenue une femme forte et résiliente. Mais cette force de caractère était-elle devenue sa propre ennemie?

Mon amie aime réfléchir aux événements de sa vie. Au téléphone, elle m'avoue : « Je me suis toujours dit : Amenez-en, je suis capable d'en prendre. Vous ne m'aurez pas! Cette façon de penser peut-elle m'attirer des épreuves? » Elle touchait là à un point majeur. À travers les infortunes vécues comme enfant, Karine s'était forgé un discours intérieur qui lui permettait de survivre. Ce fut salutaire dans le passé, mais les circonstances avaient changé. Profitant maintenant d'une situation confortable avec son amoureux et ses deux fillettes, elle percevait l'importance de reprogrammer sa façon de voir les choses. Comment s'y prendre? Je lui ai proposé un truc puissant et amusant.

« Tu es fatiguée de te battre? Alors, enterre la hache de guerre. »

« Que veux-tu dire? »

« Achète une hache dans la section jouets d'un magasin bon marché. Une fois chez toi, prends la décision de ne plus voir la vie comme un champ de bataille. Terminé à jamais! Puis, symboliquement, enterre la hache de guerre dans ton jardin. »

« Quelle bonne idée! »

Ma copine a une grande qualité : elle est ouverte d'esprit. Qu'avait-t-elle à perdre? Elle comprenait que ce rituel, qui semble enfantin à prime abord, envoyait une image puissante à son cerveau. Et quand elle se surprendrait à penser en *combattante*, le souvenir d'avoir enterré une hache ne pourrait que la faire sourire et la ramener à l'ordre. Toutefois, pour vraiment bien fonctionner, mon truc requiert une deuxième étape.

- « Comment voudrais-tu que soit ta vie? » demandai-je à Karine.

- « Moins difficile, moins compliquée, moins éprouvante, tu comprends? »

- « Tu voudrais donc plus de facilité? »

- « Exactement le bon mot! Que je continue d'avancer dans la facilité plutôt que dans le combat. Je sais quoi faire : je vais écrire *facilité* partout. Dans mon agenda, dans ma voiture, près de mon réveille-matin, sur notre tableau familial, etc. Je vais me le répéter constamment. Quand je me surprendrai à penser en mode *combat*, je vais immédiatement me recentrer sur la facilité. Merci Julie! »

Karine connaissait déjà la deuxième partie de mon plan d'attaque. A-t-il donné des résultats? Les difficultés ont-elles miraculeusement disparu de sa route?

Encore trop tôt pour le dire, car notre conversation téléphonique est récente. En programmant son subconscient avec ce qu'elle *veut* au lieu de ce qu'elle ne *veut pas*, elle obtiendra certainement plus de *facilité*. Reprogrammer son discours intérieur ne se fait pas en criant ciseaux. Les rituels et les affirmations positives sont des outils puissants pour y parvenir. En associant une cérémonie à une décision, elle enclenche alors un processus important dans le but de créer un réel changement. C'est un engagement qui requiert temps et détermination, mais l'effort en vaut la peine. Un jour, on réfléchit à son ancienne programmation comme à un lointain passé. Qu'est-ce que je fais quand je constate que je suis libérée d'une fausse croyance? J'ouvre une bonne bouteille de vin rouge et je prends un verre à *ma* santé. Juste une idée, pour toi, chère Karine.

Tenir le bon discours

En formulant mes impressions de façon positive, j'envoie un message clair quant à ce que je recherche. « La vie est douce envers-moi », « Je suis en pleine forme », « Je travaille de façon détendue », « Je suis entourée de gens qui veulent mon bien. » De telles affirmations trouvent toujours écho dans l'Univers, j'applique donc cette formule gagnante.

18

Comme tu me l'as demandé

Par Marie-Josée

« Tu as quitté un emploi stable pour démarrer ton entreprise et ton mari n'a pas déguerpi ? » me dit une cliente. Intriguées, trois autres personnes attendaient impatiemment ma réponse. D'un large sourire, je répliquai : « N'est-ce pas ce qu'est l'amour, encourager l'autre à prendre des risques pour réaliser ses rêves ? » En une fraction de seconde, j'ai pu lire dans le cœur de ces femmes. Certaines étaient comblées par leur couple tandis que d'autres vivaient à moitié, recroquevillées dans une relation ennuyeuse. Cette discussion m'a poursuivie pendant plusieurs jours. La gent féminine a une telle facilité à sacrifier son potentiel et ses rêves au nom de l'amour...

Le milieu de travail dans lequel j'évolue, la vente à domicile, est unique. Plusieurs de mes collègues y œuvrent à temps partiel, par simple plaisir. Défi, motivation et désir de reconnaissance constituent les principales raisons de leur adhésion à l'entreprise. En général, leur mari accepte ce passe-temps avec retenue et ils sont rassurés dès qu'ils voient leur conjointe s'épanouir. Mais parfois, monsieur s'oppose carrément en dénigrant les efforts de madame, comme s'il se sentait menacé de la voir réussir et s'amuser. J'ai toujours peine à imaginer que l'on veuille se sécuriser en diminuant les autres. Qu'advient-il lorsqu'on s'engage à long terme dans une telle relation?

Laurence Jalbert a mis en mots et en musique cette réalité :

J'ai vidé toutes mes armoires,
comme tu me l'as demandé

J'ai éteint toute ma mémoire,
je ne suis plus que ton reflet

J'ai bouché toutes les fenêtres,
pour le soleil, je l'ai chassé

Pour que toi seul tu me pénètres,
comme tu me l'as demandé

Tu as déraciné mes nerfs, tu as effiloché ma chair

Je suis pire, nue, qu'un caillou

Rends-moi tout.

Cette chanson, *Comme tu me l'as demandé*, me donne des frissons chaque fois que je l'entends. J'y vois un appel retentissant à préserver notre identité.

Si madame poursuit son projet, elle verra son couple se dégrader. Mais en renonçant à ses rêves, c'est elle qui s'évaporera. Moi, par chance, mon amoureux m'a appuyée dès le départ. En bon protecteur, il était prêt à me consoler au cas où je vivrais une déception. Tout en s'adaptant aux exigences de mon nouvel horaire, il a accepté mon choix, même si cela ébranlait notre sécurité financière. Le succès que je connais depuis quatre ans, je le lui dois en bonne partie. J'ai compris que le défi d'un couple consiste à regarder ensemble dans la même direction. Nous formons une équipe et, sans la confiance qu'il m'a manifestée, je n'aurais pu avancer aussi vite. Comment lui exprimer ma gratitude?

En 2009, la compagnie lançait un concours avec un prix fabuleux : une croisière pour deux en Alaska. Épatée par cette offre, j'annonçai à mon homme : « Chéri, je sais que tu aimerais faire ce voyage, mais il faudra que je mette les bouchées doubles pour l'obtenir. » Pendant dix mois, nous avons visé ce but en faisant tous les efforts nécessaires. À l'automne, j'ai augmenté mon nombre d'heures de travail et de son côté, mon conjoint a pris la relève auprès de notre fils. Le 4 juin 2010, notre *équipe* mettait les voiles vers le pays des glaciers! Émus, nous avons totalement oublié le labeur acharné et les nuits écourtées. Dès l'aube, mon amoureux partait à la chasse aux paysages grandioses avec son appareil photo. Son bonheur compensait largement pour les efforts et les sacrifices effectués! Je sais maintenant qu'ensemble, nous pouvons tout accomplir et de cette expérience j'ai composé ma propre poésie :

Pour donner vie à ce grand rêve,
j'ai déployé mon potentiel

Suis devenue celle que je dois être,
comme tu me l'as demandé.

Laisser l'autre être

Il m'est impossible de changer la ou les personnes en cause. Tout comme je ne peux motiver qui que ce soit. Je continue à inspirer les autres par ce que je suis et par ce que je fais. En cessant d'avoir des attentes, je donne une nouvelle énergie à mes relations et elles s'apaiseront comme par magie.

19

Ma cicatrice

PAR JULIE

Les médicaments faisaient enfin effet, la douleur s'estompait et je sentais mon énergie revenir. « Tu n'as pas de contractions, tes tests d'urine sont normaux et tu ne fais pas de fièvre. Probablement un muscle étiré en faisant un faux mouvement. Prends des antidouleurs au besoin et repose-toi. Tout devrait rentrer dans l'ordre sous peu », me dit mon gynécologue pour me rassurer. Quel soulagement! À vingt-neuf semaines de grossesse, il était beaucoup trop tôt pour accoucher. De retour à la maison, mon bébé et moi étions loin de soupçonner l'aventure qui nous attendait.

Le lendemain, dès mon réveil, la douleur refit des siennes. J'appelai ma mère : « Maman, je suis désolée, mais je ne pourrai pas aller au restaurant avec toi pour ton anniversaire. Je ne me sens vraiment pas bien. Ne t'inquiète surtout pas, il semble que ce soit un muscle étiré. » Ce matin-là, mes anges gardiens étaient au travail. Poussée par son intuition, ma mère annula la sortie prévue et arriva chez moi deux heures plus tard. Juste à temps pour appeler l'ambulance et m'apporter la bassine, car la douleur était si vive que j'en avais la nausée.

Pendant huit heures, une gynécologue et un chirurgien m'ont examinée sous toutes les coutures : tests de sang, tests d'urine, échographie et palpations de l'abdomen. Leur verdict : possiblement une appendicite. M'opérer provoquerait sans doute la venue d'un bébé prématuré. À défaut d'une opération, une appendicite éclatée compromettrait ma vie et celle de l'enfant. Que choisir? Impuissante, je m'en remis à leur jugement. Vers les vingt heures, après une dernière palpation de mon abdomen, le chirurgien trancha : « Je t'opère dans cinq minutes! »

Quelque chose d'extraordinaire s'est alors passé en moi. Une Julie forte et calme, comme un double de moi-même, s'est adressée à mon bébé : « Pas question de traverser de l'autre côté. Tu te tiens proche de moi. Si tu vois de la lumière, tu n'y vas pas. On passe à travers cette opération et on se réveille ensemble. As-tu compris ? » Le ton utilisé n'acceptait pas de réplique. Même sans avoir *vu* l'enfant qui grandissait en moi, mon amour pour ce bébé m'aurait fait soulever n'importe quelle montagne. Presque au même moment, les infirmières arrivèrent afin de me préparer pour l'opération.

Nous avons défié toutes les statistiques. Malgré une appendicite éclatée, un traitement d'antibiotiques intraveineux accompagné d'antidouleurs, j'ai donné naissance à une magnifique fillette en pleine santé, et cela, après quarante semaines de grossesse. Allais-je faire disparaître ou, du moins, atténuer la cicatrice disgracieuse que cette aventure avait laissée sur mon ventre? Jamais! Elle symbolise la fragilité et la beauté de la vie. Ma route et celle de mon bébé auraient pu s'achever ce 26 mars 2006. Cette marque sur mon abdomen me souligne l'importance d'apprécier chaque journée et d'en savourer les petits bonheurs, car qui sait comment elle se terminera! Je suis persuadée que ma conversation *spirituelle* avec mon enfant a eu une grande influence sur l'issue positive de cet incident. Mais ce dont je suis surtout convaincue, c'est que j'ai des anges gardiens fantastiques!

Au-delà des mots

Communiquer peut-être ardu, et cela, malgré mes bonnes intentions. Quand mes paroles ne mènent nulle part, pourquoi ne pas dialoguer d'âme à âme? Je m'imagine en train d'exprimer clairement mes sentiments. Je ne doute pas d'être entendu et je deviens ainsi l'artisan d'un rapprochement harmonieux.

20

Quand le ciel s'en mêle

PAR MARIE-JOSÉE

« Que s'est-il passé ? » En rentrant à la maison, je trouve mon amoureux pâle et vraisemblablement épuisé. Ma belle-mère, infirmière de métier, explique : « Il transplantait un arbre et subitement il s'est senti faible. Il croit que c'est un coup de chaleur, ou encore parce qu'il n'a pas assez mangé, mais j'ai pris sa pression et quelque chose ne tourne pas rond. Son cœur battait d'une façon anormale. » Il s'exclama : « Arrêtez de vous inquiéter, ça va mieux maintenant! ». Une alarme retentit au fond de moi. Je me suis sentie poussée à prendre un rendez-vous pour lui en médecine privée, histoire de ne pas attendre des mois.

Le médecin l'a référé au cardiologue. Deux semaines plus tard, dès qu'il eut mis les pieds sur le tapis roulant, le diagnostic est tombé. Il s'agissait du *syndrome de Wolff-Parkinson-White*. En gros, un branchement inhabituel dans son appareil cardiaque causait des courts-circuits, ce qui expliquait ainsi les palpitations excessives. Un trouble de naissance qui ne s'était jamais révélé auparavant. « Vous pouvez vivre longtemps sans aucun problème tout comme vous pouvez en mourir pendant votre sommeil. Il faut vous opérer. » conclut le médecin. Ces paroles résonnaient lourdement en moi. Avec une telle épée de Damoclès au-dessus de nos têtes, comment ne pas céder à la panique ?

J'ai décidé de me ranger du côté de la confiance. Nous avions un fils de douze mois et l'avenir devant nous. « Chéri, tu as vécu trente-six ans en pleine santé, ce n'est pas aujourd'hui que ça va arrêter! Dieu va continuer à prendre soin de nous », lui dis-je avec assurance. Quatre mois passèrent ainsi. Mis au rancart sur une liste d'attente, nous attendions impatiemment l'appel de l'Institut de cardiologie. Dans la même période, ma belle-mère traversa aussi une grande épreuve : le décès de sa sœur. Au lendemain de la triste nouvelle, je me suis tournée vers la défunte en lui demandant de veiller sur nous. Je lui confiai le dossier santé de mon amoureux afin qu'il soit opéré très rapidement. Quelques heures après ma *prière*, je reçus un coup de fil déroutant.

Mon conjoint se trouvait à l'urgence parce qu'il avait eu un autre épisode cardiaque. Pas exactement le genre de réponse que j'avais imaginée! Après une analyse approfondie, les cardiologues ont réitéré auprès de l'Institut. Cet événement, à prime abord inquiétant, tournait à notre avantage. Huit semaines plus tard, l'opération avait lieu. En l'espace de quelques heures, les chirurgiens lui ont redonné un nouveau souffle. Depuis cette intervention, il se sent plus en forme que jamais. Merveilleuse science qui fait des miracles! Mais au fait, était-ce seulement la médecine?

Au cours de l'opération, je me suis réfugiée à la chapelle de l'hôpital. J'ai à nouveau invoqué Dieu et toute la voûte céleste. Apparemment, croire en l'au-delà est une *béquille* psychologique pour ceux et celles qui ne sont pas assez solides mentalement. Bien que je respecte cette théorie, je ne la comprends pas et je n'y adhère pas. Chaque fois que je me sens impuissante, prier m'apporte une paix et une force indescriptibles. Comme si je puisais dans mon propre pouvoir intérieur, en ce lieu où je sais que l'Univers est de mon côté et que tout finira par s'arranger. Beaucoup d'intervenants ont permis à mon amoureux de retrouver la santé, qu'ils soient de là-haut ou d'ici-bas, et je leur en serai toujours reconnaissante!

S'harmoniser aux événements

Si tout semble échapper à mon contrôle, je fais une pause. Cette situation requiert que je lise entre les lignes. Que me suggère mon intuition? Plus que jamais, je m'attarde à la voix de mon cœur et je lui reste fidèle. Ma sagesse intérieure est appelée à grandir afin de prendre une place de plus en plus importante en moi.

21

Rêveries secrètes

PAR JULIE

Allongée dans mon lit, je contemplais mon gros ventre de trente-deux semaines de grossesse. J'étais à la fois exaltée et apeurée par l'aventure qui m'attendait. Allais-je être un bon guide pour l'enfant à naître? M'emparant de mon journal intime, j'y notai tous ces conseils à l'intention de ma fille :

- Choisis avec ton cœur.
- Exerce un métier qui te passionne.
- Crois ardemment en tes talents.
- Aie le courage de poursuivre tes rêves les plus fous.
- Fous-toi de ce que les autres pensent.

Sur ces mots, je m'arrêtai brusquement. Ma conscience (Eh! Oui, encore elle!) s'adressa sérieusement à moi : « Julie, tu peux DIRE tout ce que tu veux à ton enfant, ce qu'elle retient, c'est ce que tu FAIS. » Un véritable coup de poing en plein front! Comment pouvais-je demander à ma fille de FAIRE et d'ÊTRE ce que je n'arrivais pas à FAIRE et ÊTRE moi-même dans ma propre vie?

À ce jour, ce moment demeure l'un des souvenirs les plus intenses de mon existence. Chaque destinée est parsemée de quelques instants critiques où de nouvelles portes s'ouvrent devant nous. Notre vision est temporairement élargie et nous saisissons lucidement ce que l'Univers nous demande de choisir. Détenant le libre arbitre, nous pouvons avancer sur ce sentier tout neuf ou faire marche arrière. Par amour pour ma fille, j'ai foncé vers l'avant.

- Mon cœur revendiquait depuis longtemps son besoin d'écrire.
- Être auteure, voilà le métier que je rêvais d'exercer.
- Croire ardemment en mes talents d'écrivaine… *Oh boy*! J'avais du chemin à faire à ce niveau.
- La peur du jugement des autres (pas assez de talent, tu rêves en couleur, je te l'avais dit que tu mettais la barre trop haute, etc.) m'arrêtait définitivement dans la poursuite de mon rêve.

Portée par ma détermination à être un modèle pour mon enfant, je m'assis à ma table un an et demi après cette fameuse prise de conscience. Une feuille de papier devant moi et un crayon à la main, je commençai le plan de mon premier roman.

Hier, le 22 avril 2010, j'ai envoyé mon dernier chapitre à mon mentor. Six années pour mener ce projet à terme. Écrit à petites doses, il est la preuve que je me suis accrochée solidement à ma vision. Ma famille, mon travail à temps plein et l'entretien de ma maison consommaient la majorité de mon temps. À quelques reprises, j'ai mis mon manuscrit de côté durant plusieurs mois. Mais entretenir la discipline et la persévérance ne fut pas le plus ardu de cette expérience. Croire en moi, écouter mon cœur et ne pas m'inquiéter de l'opinion des autres, voilà ce qu'était mon véritable défi. J'ai aussi compris l'ampleur des valeurs que je voulais enseigner à ma fille. Dieu que les paroles sont parfois faciles à prononcer!

Évidemment, j'aimerais que mon bouquin devienne un best-seller mondial! Mais le plus important pour moi c'est de compléter le cheminement de croissance entamé il y a déjà six ans. Par amour pour mes enfants, par amour et respect à mon égard, je serai allée jusqu'au bout. Lorsque je me bercerai à la fin de mes jours, je pourrai me dire : « Bravo! Tu as été à la hauteur de tes aspirations. Tu as écouté ton cœur, tu as cru en toi sans te laisser influencer par l'opinion des autres. » Mes filles comprendront-elles cet enseignement? Lorsque nous discuterons de l'importance de réaliser nos rêves, mes paroles auront certainement plus de poids.

Inspirer par l'exemple

Il n'est jamais trop tard pour modifier un comportement ou une habitude, j'en sais déjà quelque chose. En incarnant les changements que j'aimerais voir se produire, je contribue à un monde meilleur. Je me félicite et je persiste car mon courage démontre que je peux faire une différence.

22

Une journée à oublier

PAR MARIE-JOSÉE

6 h 20, j'ouvre les yeux: « Dieu que je suis courbaturée! » L'humidité des derniers jours m'a frappée fort. J'entreprends le déverrouillage de mon ossature quand mon fils entre dans la chambre : « Où est papa ? » me demande-t-il. « Il est parti travailler, mon cœur. » Il n'en fallait pas plus pour le mettre en colère. Je garde mon calme car, visiblement, nous sommes deux à nous être levés du mauvais pied. Il s'irrite, me donne un coup sur la jambe en hurlant : « Je veux papa ! » Je respire tout en bougonnant. J'essaie de ne pas céder à la tension qui augmente rapidement en moi, mais c'est un bambin indigné qui me suit jusqu'à la cuisine.

« Aimerais-tu un verre de jus? » lui ai-je demandé. J'ouvre le frigo et je saisis un contenant de deux litres qui, malheureusement, me glisse aussitôt des mains. J'essaie de le rattraper mais, peine perdue, le couvercle s'envole et le liquide se répand autant dans le frigo que sur le plancher. Fiston éclate en sanglots à cause du vacarme. « Et mince...! » Six linges à vaisselle sont nécessaires pour venir à bout du dégât. L'heure de vérité a sonné : mes beaux principes positifs, n'est-ce pas dans une situation de ce genre qu'ils doivent servir? J'inspire profondément et je me dis que ce sera quand même une belle journée.

C'est le troisième mercredi du mois, un des rares matins où je dois me présenter au bureau pour 9 h 30. À 8 h 30, les ouvriers arrivent pour continuer les rénovations de notre nouvelle maison. Le plancher installé dans certaines pièces ne fait pas mon affaire, car il craque. J'écoute les explications de l'entrepreneur, mais je veux qu'on trouve une solution pour le revêtement du salon. J'appelle mon conjoint au travail. Discussion tendue, car nous ne sommes pas d'accord – surtout parce qu'il faut débourser un autre 1 000 $. Je m'emporte un peu, mais je me ressaisis. « Mode solution, mode solution, mode solution. » Je respire encore une fois. 9 h 35, je dois annuler ma réunion et rester à la maison pour surveiller les travaux.

En route pour la garderie, le silence règne dans la voiture. Les cinq dernières semaines ont été intenses dû à des rénovations majeures et un déménagement. La canicule étant au rendez-vous, nous sommes tous fatigués, y compris fiston, qui s'accroche à moi en pleurant lorsque je veux le quitter. « C'est le cinquième matin qu'il me fait ça. » L'éducatrice me répond par un clin d'œil. Je pars, le cœur en miettes. Beaucoup de travail m'attend à la maison. Encore des boîtes à défaire, mais je n'ai pas d'énergie. Mon corps revendique une journée de congé. « Pas question, tiens bon, Marie-Josée. Dans deux mois, tout va être en place et tu te reposeras. » Malgré mes techniques de respiration, ma tension ne diminue pas. Et quand je tente d'imprimer un document, l'ordinateur me lâche. « Bon sang, qu'est-ce que j'ai fait pour mériter ça? » Je perds au moins trente minutes à régler le problème.

11 h 45. Entre deux courriels, j'attaque la montagne de lavage. En mettant le détersif dans le compartiment, je ne me rends pas compte que ce dernier est trop avancé. Le savon s'écoule doucement le long de la machine. Complètement

dépassée, j'abdique. Un sourire nait sur mes lèvres. À quoi bon résister? Si rien ne fonctionne, aussi bien prendre l'après-midi mollo. Instantanément, mes tiraillements et mon mal de cou disparaissent. Pourquoi la Vie m'a-t-elle envoyé ces situations? Mon besoin de tout contrôler me pousse à lutter pour que les choses soient à mon goût, comme je l'entends et selon mon point de vue. Que fiston fasse une crise, que mon plancher craque et que la laveuse se moque de moi, ce ne sont que des tests. Deux choix s'offrent alors à moi : résister en maugréant ou accepter la situation. 13 h 15, enfin calme et paisible, je me félicite d'avoir lâché prise!

Passer à un autre appel

Les peccadilles du quotidien méritent-elles de leur accorder autant d'intérêt? Il est bon de considérer les événements dans leur ensemble et de se concentrer sur ce qui importe vraiment. Être heureux, c'est aussi capituler avec bonne humeur quand les choses tournent au vinaigre. Je souris, la vie est belle!

23

On m'attaque!

PAR JULIE

Nous partons pour la Floride! Mon amie Lisa et moi étions aussi excitées que des adolescentes. Après les quelques week-ends de golf de nos *chums*, à notre tour de planifier une longue fin de semaine sous les palmiers. Ces derniers acceptèrent de nous appuyer de bon cœur dans notre projet. Prendre une pause, n'avoir que soi à satisfaire... juste à y penser, j'en avais l'eau à la bouche. Après ces quelques jours de détente, nous reprendrions nos rôles de maman avec joie. Je comptais les dodos sur le calendrier. Il n'en restait que trois lorsque le téléphone sonna.

« Julie, un accident grave est survenu dans ma famille immédiate et je ne pourrai pas partir », me dit Lisa.

« Je comprends, ne t'en fais pas. Occupe-toi des tiens. On se reprendra, c'est tout. Puis-je faire quelque chose? »

« Ça va aller. Je suis bien entourée. Ne te prive pas pour moi, vas-y quand même. »

« Je vais voir, mais ne t'inquiète surtout pas », répondis-je en envoyant mentalement force et support à mon amie.

Une fois la conversation terminée, je méditai un bon quinze minutes. Mon escapade tant espérée était sérieusement menacée. Comme j'étais enceinte de deux mois, l'idée de partir seule me créait de l'insécurité. Mon corps et mon esprit réclamaient haut et fort ce repos, mais était-ce absolument nécessaire? Serait-ce plus raisonnable de remettre ce voyage à plus tard?

Mes tentatives pour me trouver une nouvelle compagne de voyage échouèrent. À moins de trois jours d'avis, qui peut facilement s'absenter de son travail et de sa famille? Prenant mon courage à deux mains, je suis partie en solo. Quelle merveilleuse décision! Le gîte réservé se trouvait à deux pas de la mer et des restaurants. J'ai loué un vélo et j'ai fait de longues randonnées sur la route longeant l'océan. Je me suis accordé des moments de lecture et d'écriture entrecoupés de promenades et de repos. Pendant trois jours, je n'ai ouvert la bouche que pour commander mes repas. Assoupie sur la plage, je savourais les derniers instants passés dans cette oasis de paix. C'est alors qu'une image saisissante est apparue dans mon esprit.

Je me voyais allongée sur le sable, entourée d'une immense bulle de verre. À l'intérieur, l'air était lourd et je respirais difficilement. Tout à coup, j'ai entendu des objets heurter la paroi. On m'attaquait à coup de flèches. Pas de panique, j'étais en sécurité dans ma forteresse. Pourquoi donc ce sentiment de lassitude et cette difficulté à respirer? Rien ne pouvait m'atteindre dans ma super bulle. Alors que j'étais toujours somnolente, la scène s'est clarifiée et j'ai compris que j'étais *attaquée* avec des flèches d'amour. Un message clair : Julie, apprends à t'ouvrir aux autres et à recevoir leur tendresse. Tu te prives de tous ces cadeaux qui te sont offerts avec générosité. « Bien voyons donc, pensais-je, comme si je ne savais pas apprécier ce que les autres me donnent. » Au fait, le savais-je?

Pas totalement. Je savourais l'affection que l'on me témoignait, mais sans en extraire toute la saveur. Secrètement, une partie de moi croyait ne pas la mériter. Depuis ce rêve éveillé, lorsque quelqu'un prend de son temps pour m'offrir de son attention sous forme d'aide, de cadeau, d'une surprise, etc., je m'arrête et mesure l'ampleur de son geste. Ça peut ressembler à ceci : « Wow! Une telle a trouvé l'information que je lui ai demandée. Elle doit sûrement m'apprécier pour avoir ajouté cette tâche à son horaire déjà chargé. » Il n'en faut pas plus pour que la flèche traverse la bulle et vienne réchauffer mon cœur. Apprendre à accueillir davantage l'amour que l'on me porte : je n'y arrive pas toujours sur le coup, mais je perçois beaucoup mieux la grandeur de tous ces petits gestes.

Chut! Le silence parle

Passer du temps avec soi conduit à la paix intérieure. À quand remonte mon dernier tête-à-tête avec moi-même? De précieux enseignements m'attendent si je consens à un peu de calme. Je ne fuis pas la solitude, elle est porteuse de grandes révélations et me murmure le chemin à suivre.

24

Comment ça va?

Par Marie-Josée

« Comment ça va? » Une formule banale, à laquelle nous répondons machinalement. Mais l'automatisme m'ennuie. Pour y remédier, je plonge mes yeux dans ceux de mon interlocuteur. Si la conversation est en mode téléphonique, je sors mon oreille bionique afin de cerner les nuances dans la voix. Avec le courriel, c'est un peu plus difficile. Dans ce cas, je dois me connecter à mon *clairsenti*, à ma boussole interne. Au fil du temps, j'ai compris que chaque « Ça va? » devient une occasion, si je le désire, de me connecter à l'autre. La condition : *écouter*. Or, combien de fois sommes-nous ÉCOUTÉS quand nous répondons à une question? Qui s'intéresse réellement à ce que nous avons à dire?

Trop souvent, le syndrome de la liste d'épicerie l'emporte. Pendant qu'une personne parle, nos pensées se dirigent vers les nombreuses tâches qui occupent notre quotidien. Nous acquiesçons et sourions sans porter attention à la conversation en cours. Pourtant, s'ouvrir à l'autre, c'est partir à la découverte de son univers et accéder à une perception différente de la nôtre. À travers un seul individu, nous pénétrons dans l'existence de plusieurs personnes. Des histoires humaines enrichissantes nous sont racontées, n'est-ce pas là le plus captivant des voyages ? J'apprends énormément de mes entretiens et ma valise est pleine de récits inspirants.

Grâce au monde fantastique du Web, nous n'avons jamais autant communiqué. Vive les messages *texte*, *Facebook* et compagnie! À la limite, pas un mot n'a besoin d'être prononcé. Si Internet permet d'être *entendu*, il ne permet pas nécessairement d'être *écouté*. Les gens sont en manque d'écoute dans la chaleur humaine d'une rencontre. Mes plus grands plaisirs relationnels consistent à serrer une personne dans mes bras, à lui sourire et à déguster un bon repas avec elle. Quand quelqu'un agit ainsi et porte attention à ce que l'on dit, n'avons-nous pas le sentiment d'exister?

On ne soupçonne pas à quel point l'écoute active peut rendre un cœur léger et joyeux. J'ai découvert que je peux orienter la discussion comme bon me semble en sollicitant l'autre personne. « Comment te sens-tu dans ton rôle de père? », « Qu'est-ce qui t'allume dans ton couple? », « Où te vois-tu dans cinq ans? », « Selon toi, pourquoi ta sœur n'est-elle plus la même avec toi? », « Pour quelles raisons veux-tu changer d'emploi? » Cette exploration digne d'un sofa de psychiatre peut parfois sembler intrusive. Mais, étrangement, la grande majorité des gens aiment se faire interroger ainsi. Pour quelles raisons?

Une amie m'a confié récemment que lorsque je l'écoutais, elle avait l'impression d'être la plus personne la plus importante du monde. Voilà pourquoi il est bon d'être altruiste en écoutant véritablement : pour faire sentir à l'autre à quel point il compte à nos yeux. Que ce soit ma mère, mon amoureux ou un inconnu, chacun mérite ce même empressement de ma part. C'est ma façon de faire briller les gens, une façon simple et sans grand mérite. Mère Teresa a dit un jour : « *Ne laissez personne venir à vous puis, repartir sans être plus heureux.* » Nous possédons tous ce pouvoir, il suffit d'un peu d'écoute!

Sortir de soi

La chaleur humaine ne s'achète pas en boîte. Je peux réconforter et encourager certaines personnes de mon entourage par mon écoute active. J'accepte cette responsabilité avec amour et j'ouvre mon cœur sans retenue. Ma présence aimante est un remède efficace pour tout être humain. Je m'engage à le prodiguer encore plus souvent car, j'en retirerai en même temps de grands bénéfices.

25

Voir

PAR JULIE

La soirée *CNN heroes 2009* m'avait profondément touchée. Bien que j'aie blogué sur *Andrea Ivory*, j'avais fait un don pour la cause d'un autre candidat. Curieux, n'est-ce pas? Voter pour une personne et en soutenir une autre financièrement. Sur le coup, je n'ai pas remis en question ma décision. Par contre, je me surprenais fréquemment à repenser à Brad Blauser. « Que me veut-il, celui-là? J'ai envoyé mon argent, j'ai fait ma *bonne action.* Pourquoi revient-il constamment dans mon esprit? » Quelques mois plus tard, peu de jours avant mon retour au Québec, toutes les pièces du casse-tête se sont mises en place.

Brad Blauser[2] est un Américain né au Texas. En 2004, il s'est retrouvé en Iraq, à titre de constructeur, pour rebâtir ce pays dévasté par la guerre. Sur place, il a été surpris de voir plusieurs parents transporter des enfants handicapés dans leurs bras. « Ces enfants ont rarement accès à l'assurance maladie. S'ils le peuvent, certains se déplacent en se traînant le long des rues. Sinon, ils sont dépendants de leurs parents et doivent être transportés. En vieillissant, plusieurs sont confinés à leurs lits, trop lourds pour être déplacés sur de longues distances », lui expliqua un ami chirurgien en mission avec l'armée américaine. « De quoi avez-vous besoin? » lui demanda Brad Blauser. « De fauteuils roulants pédiatriques adaptés pour des terrains abrupts », lui répondit le médecin.

Le jour même, Brad amorçait des démarches afin de recueillir des fonds auprès des siens pour aider ces enfants. Cinq ans plus tard, ils étaient plus de sept cents filles et garçons à jouir d'une meilleure mobilité, ce qui leur permettait d'accompagner leur famille au marché, de se rendre seuls à l'école et de visiter leurs amis, et cela, grâce aux efforts de ce héros. À l'autre bout du monde, qu'avais-je à apprendre de cet homme d'exception? Pourquoi est-ce que je repassais constamment son histoire dans ma tête?

J'ai vécu sept mois à Las Vegas. Chaque jour, je déplorais le système de recyclage désuet. Là-bas, on doit encore séparer à la main le plastique, le verre et le papier. Si un citoyen est assez conscientisé pour en faire la demande, la ville lui fournit trois petites étagères afin de faire le tri. Deux fois par semaine, le camion à ordures circule dans les rues pour ramasser à la fois les rebuts et le recyclage. Comment démêle-t-on le tout? Mystère et boule de gomme! Aucun hôtel ou restaurant ne possède de bacs à récupération. Plus de quarante millions de visiteurs fréquentent cette ville chaque année. Comme Brad, je constatais un problème qui me touchait énormément. Contrairement à lui, malheureusement, j'observais sans réagir véritablement.

Durant la dernière journée d'école de mes filles, j'assistai à un goûter organisé en leur honneur. À l'heure du dessert, j'ai constaté que les enfants jetaient les assiettes de plastique à la poubelle et s'emparaient aussitôt d'une nouvelle, excités par le gâteau. Voilà l'occasion que je n'avais pas encore perçue : organiser un système de recyclage dans cette école. Pourquoi cette idée ne m'avait-t-elle jamais traversé l'esprit?

J'aurais pu offrir gratuitement de mon temps et mettre en place un système de base. Quel plaisir fou j'aurais eu à discuter *planète verte* avec tous ces jeunes! Une goutte d'eau dans l'océan du problème environnemental de cette ville, mais quand même. Consciente que la culpabilité ne mène nulle part, je ne me *flagellerai* pas avec ces événements passés. Mais depuis l'exemple de Brad, je me suis promis de vivre mon quotidien avec les yeux grands ouverts.

Innover en générosité

Je suis en ce monde pour donner. À maintes reprises dans le passé, j'ai répondu à un appel de détresse et tout l'honneur me revient. Je dois persévérer dans cette voie et me demander régulièrement: « Comment puis-je contribuer? » Les idées me seront données en temps et lieu.

26

Au pays des fées

Par Marie-Josée

Une vague de nostalgie m'envahit toujours quand je repense à cette matinée d'automne 2006, dans l'église d'un petit village. Que sa photo sur le cercueil. À l'aube de la quarantaine, Marie avait finalement succombé après quatre ans de lutte contre un stupide cancer. Des funérailles si paisibles que j'avais l'impression d'assister à un événement heureux comme un mariage ou un baptême. Telle une fée, mon amie était partout : dans la lumière amplifiée par les vitraux, dans le vent qui soufflait au-dehors et dans la sérénité régnant sur la plupart des visages. Mais, pourquoi elle?

J'ai connu Marie en plein cœur de mon adolescence, au cours de mon premier emploi d'été. Une patronne exemplaire que j'admirais profondément. Rêvant de devenir moi-même une femme d'affaires, j'ai vite trouvé en elle un modèle à suivre. Malgré son jeune âge, elle affrontait les situations difficiles en faisant preuve d'amour et de sagesse. Lorsque mes parents ont fait l'acquisition d'un restaurant, j'ai hélas perdu de vue mon idole. Mais, grâce à des amies communes, je la croisais de temps à autre. Chaque fois, elle éveillait le meilleur en moi, par son mode de vie équilibré, son regard franc et son sourire contagieux. Jamais je n'aurais cru qu'elle nous quitterait si vite.

Elle a reçu son diagnostic de cancer quelques mois après la naissance de sa deuxième fille. Un véritable tsunami pour son entourage. Elle était une combattante, une guerrière de premier ordre. Elle n'allait pas baisser les bras, oh non! Un seul désir l'animait : voir grandir ses enfants. Aussi a-t-elle amorcé une authentique croisade, s'ouvrant à toutes les méthodes de guérison possibles. Son courage se voulait immense, au point où elle s'est mariée dès l'annonce de sa rémission. Une héroïne? Certainement! Marie ne savait faire autrement que de croire en l'Infini, malgré la menace qui planait autour d'elle.

« Récidive », m'annonça ma copine quand je lui ai demandé des nouvelles de notre amie commune. Les derniers mois ont sûrement été un long calvaire. Elle refusait de quitter la maison pour aller s'installer dans l'aile des soins palliatifs. Comme elle était constamment alitée, les plaies s'accumulaient de semaine en semaine sur son corps. Chaque matin, elle rassemblait toutes ses forces pour se rendre au balcon et saluer sa grande qui prenait l'autobus. Pas de plaintes, pas de soupirs, que de la douleur, autant dans son corps que dans son cœur de mère. Et dire que j'ai voulu expliquer, justifier sa situation – pire, je crois même l'avoir jugée. Tous ces livres prétendant avoir une réponse médicale ou métaphysique sur le cancer, je les aurais balancés au bout de mes bras. Car des réponses, il n'y en aura jamais. Ne reste que le mystère.

Quelques jours après son décès, je berçais mon fils de neuf semaines. À un certain moment, j'ai senti une douceur indescriptible nous envelopper. Beauté et lumière tournoyaient dans la pièce et j'ai cru l'entendre : « Marie-Josée, si tu pouvais seulement voir chaque personne et chaque situation avec ton cœur, tu serais à jamais forte de la certitude que la Vie ne peut s'éteindre. Elle triomphe sans cesse de ce que tu appelles la mort. » Inévitablement, mon amie est repartie au pays des fées. Mais quand son souvenir refait surface, une seule envie me vient : faire scintiller le quotidien et en extraire toute la brillance!

Rien de définitif

Quand tout va bien, je remercie. Et quand vient l'épreuve, je dis aussi « merci » même si je n'ai aucune raison valable de le faire. Car la gratitude assure une existence sereine, loin de la tentation de tout prendre pour acquis. En étant toujours reconnaissant, je demeure paisible face aux multiples tournants du destin et je suis apte à mieux les comprendre.

27

Des ciseaux magiques

PAR JULIE

« Allons prendre une marche », me proposa Marie-Josée. J'approuvai, enthousiasmée par la splendide journée hivernale. Emmitouflées dans nos habits chauds, nous marchions silencieusement. J'essayais de relaxer, tout en savourant le décor spectaculaire qui s'offrait à nous. « D'où vient cette tension? Je suis en week-end d'écriture, je n'ai aucun souci et pourtant, je me sens angoissée en-dedans. Respire Julie, respire », me dis-je. Peine perdue! J'avais beau me conditionner mentalement à la détente, je me sentais tiraillée. Ayant une bonne idée de la cause de mon inconfort, je me suis tournée vers Marie-Josée, en quête de son aide.

Depuis quelques semaines, mon amie France filait un vrai mauvais coton. Son histoire m'attristait profondément. Ayant toutes les deux des existences similaires, je pouvais facilement m'identifier à elle et je comprenais son besoin de se confier. Plusieurs fois par semaine, je lui téléphonais afin d'avoir de ses nouvelles. Voulant l'aider, je prenais sa peine et son désarroi sur mes épaules, mais je me sentais complètement vidée après chaque conversation. « Pas question que je la laisse tomber, me persuadais-je. Les véritables amies se soutiennent quand ça va mal. France a besoin de moi. » Je souffrais avec elle et ma vitalité en était de plus en plus affectée. L'accompagner devenait un lourd fardeau. Combien de temps pouvais-je continuer ainsi? Comme toujours, Marie-Josée me prodigua de judicieux conseils.

« Julie, la douleur de France ne t'appartient pas. Tu peux l'accompagner dans sa peine, mais tu ne peux pas la sauver. Présentement, elle doute de sa capacité à triompher de cette épreuve, et c'est très compréhensible. Lorsqu'elle te fait part de ses sentiments, plutôt que d'avoir mal et de t'attrister, concentre-toi sur sa force intérieure. Elle a besoin de quelqu'un qui croit au miracle et qui voit, pour elle, la lumière au bout du tunnel. Deviens la partie positive de France au lieu d'entrer dans son désarroi. Montre-lui à quel point elle est grande et puissante! » J'écoutais les propos de Marie-Josée en me demandant sur quelle planète elle vivait. Mais, il y avait quand même matière à réflexion.

En écrivant mes pensées dans mon journal intime, tout s'est éclairci. À force d'écouter France, je me suis complètement projetée en elle. Comme si des fils invisibles reliaient directement nos cœurs. Ses émotions sont devenues les miennes. Je me suis jointe à sa souffrance. Nous étions deux à couler. Je devais renverser la situation. Autrement, je ne pourrais plus prêter oreille à mon amie et nous serions toutes deux perdantes. Me remémorant les paroles de Marie-Josée, une idée farfelue m'est venue à l'esprit.

Je me suis recueillie et j'ai imaginé une paire de ciseaux. Mentalement, j'ai visualisé le *fil* qui nous connectait. J'ai délicatement coupé ce lien tout en déclarant à France que ses émotions ne m'appartenaient pas et qu'elle avait en elle la force nécessaire pour sortir victorieuse de cette impasse. Je lui répétai à quel point je l'aimais et que je la savais solide. L'exercice fut miraculeux! Les serrements intérieurs qui me tenaillaient ont instantanément disparu. Ainsi, j'ai pu continuer à accompagner mon amie. Avant chaque appel, je me rappelais qu'il me fallait rester concentrée sur la force en elle. Et en raccrochant le combiné, je procédais à mon rituel en sortant mes ciseaux magiques. Aujourd'hui, France va admirablement bien. J'ai compris que si je voulais véritablement aider ma copine, il fallait que je me joigne à sa *force* et non pas à sa *souffrance*.

Partir en éclaireur

La véritable empathie consiste à être un phare et un fleuron d'espoir. Pour aider une personne qui souffre je me concentre d'abord sur sa force et je crois en sa capacité de sortir vainqueur de l'épreuve. Ma foi lui permettra de soulever des montagnes!

28

Au centuple

PAR MARIE-JOSÉE

« Votre voiture est arrivée ! » m'annonça le concessionnaire. « D'accord, j'y serai avec mon acheteur demain à 15 h. » Wow! Enfin, le rêve se concrétisait. Quelques semaines auparavant, j'avais terminé avec succès un programme de dix-huit mois à la fin duquel la compagnie m'offrait une Mustang convertible. Mon amoureux et moi avions décidé de vendre ce super bolide et d'utiliser l'argent ainsi obtenu pour acheter notre nouvelle maison. Le 30 juin 2010 se voulait donc un jour heureux : je déménageais et je récupérais mon trophée sur roues. La frénésie était à son comble! Qu'avais-je fait pour mériter cette abondance?

À vrai dire, je demeure très prudente avec la notion de mérite. Autant elle flatte l'ego, autant elle pénalise et disqualifie. Souvent, j'entends : « Tu mérites toutes les belle choses qui t'arrivent! ». Hum, pas tout à fait certaine de cela. Puis-je me créditer de la moindre bravoure, du fait d'être née sur un continent où je n'ai pas à me soucier de la faim? Est-ce à moi que revient l'honneur d'avoir eu des parents extraordinaires? Ai-je quoi que ce soit à voir avec le fait de bénéficier de certains talents? Parce que la Vie m'a toujours gâtée, je lui suis extrêmement redevable. Je ne *mérite* pas ce qu'elle m'offre, mais j'ai à l'accueillir et à en faire bon usage. Ma seule obligation consiste à rester heureuse quoi qu'il arrive. J'ai toujours le choix de sourire aux événements ou de froncer les sourcils.

La livraison de ma Mustang s'est faite dans l'adrénaline du déménagement. Moi qui rêvais de la conduire, visage au soleil et cheveux au vent, je n'en ai même pas eu le temps. Sitôt arrivée chez le concessionnaire, je concluais la transaction avec l'acheteur. Malgré un si beau chèque, j'avais un petit pincement au cœur du fait de ne pas pouvoir profiter pleinement de ce moment. Après tout, quand aurais-je la chance de recevoir à nouveau une telle récompense? J'aurais souhaité que ma famille soit présente, qu'on prenne au moins quelques photos. En remettant les clés à l'heureux acquéreur, j'ai souri tout en imprégnant ma mémoire de ce souvenir.

Dans les jours qui suivirent, deux autres de mes collègues ont aussi reçu leur décapotable. Quand Annie me téléphona, je sentis tout de suite de l'excitation dans sa voix. « Marie-Josée, c'est dommage que tu n'aies pas eu le temps de profiter de ta Mustang. Il fait beau aujourd'hui, que dirais-tu que j'aille chez toi pour que tu puisses conduire la mienne? » Quelle délicatesse de sa part! Ouiiiiii!!! En raccrochant, mes yeux se sont remplis de larmes. Ce geste me touchait profondément, car pour moi, la véritable amitié réside dans la capacité de se réjouir pour l'autre. Et Annie voulait que ma joie soit totale.

Quelques heures plus tard, j'appuyais sur l'accélérateur, visage au soleil et cheveux au vent. Une sensation inoubliable! Qu'est-ce que la véritable richesse : la voiture ou la générosité d'Annie? Le mélange des deux fut à la fois explosif et doux à mon cœur. Mais quelle que soit la forme que prenne l'abondance dans mon quotidien, je ne veux jamais m'y habituer ou croire que je la mérite. J'espère toujours avoir l'émerveillement de l'enfant ainsi que la gratitude du vieillard. Et si je puis me permettre : merci, Annie!

La totale

Il m'est agréable de collaborer au bonheur des autres autant que je le peux : un sourire, un service, un coup de fil, une fantaisie. Surtout, j'amplifie leur contentement en me réjouissant pour eux. J'agis comme si toute cette opulence était mienne et j'attire ainsi une nouvelle forme d'abondance dans mon environnement.

29

La fameuse liste to do

Par Julie

Lundi matin :

- Prendre rendez-vous chez le dentiste pour les filles
- Faire la vidange d'huile de mon auto
- Enlever les mauvaises herbes autour de la rocaille
- Retourner l'appel de ma mère
- Remplir le coupon de participation pour l'activité piscine de Jade

  Lundi soir :

  « Ouf, quelle journée! J'appellerai ma mère demain, elle comprendra», me dis-je en remplissant le coupon de participation.

Mardi matin :

- ~~Retourner l'appel de ma mère~~
- ~~Remplir le coupon de participation pour l'activité~~
- ~~« piscine » de Jade.~~
- ~~Épicerie : lait, pain, viandes froides, fruits~~
- Passer chez le nettoyeur
- Appeler Maxime pour la réparation du balcon
- Trouver une gardienne pour jeudi soir

Mardi soir :
« J'avais oublié la partie de soccer de Jade. Demain, je prends les bouchées doubles et je règle le tout! »

Mercredi matin :

- ~~Passer chez le nettoyeur~~
- ~~Appeler Maxime pour la réparation du balcon~~
- ~~Trouver une gardienne pour jeudi soir.~~
- Acheter un cadeau pour la fête d'amis de Chloé
- Payer les comptes du mois
- Faire la lessive

Mercredi soir :
« Plus j'en fais, plus il s'en rajoute! Vais-je un jour venir à bout de cette liste de tâches? »

Récemment, j'ai admis que ma liste *to do*, n'aurait jamais de fin. Une partie de moi croyait cependant que j'y arriverais. « Lâche pas, une fois tes tâches complétées, tu pourras te reposer et te divertir. » À ce petit jeu, je m'épuisais. Était-ce cela, vivre? Toujours courir? Toujours espérer un moment de répit? Je me le demandais sérieusement.

Lorsqu'on *accepte* enfin la pérennité de notre fameuse liste, le quotidien devient plus doux. Quand on *décide* que se détendre et s'octroyer du temps pour soi est une priorité, notre quotidien explose de saveur. Après réflexion, je me suis créée un nouveau répertoire de tâches. Maintenant, chaque soir avant de m'endormir, je me questionne sur le déroulement de ma journée :

Aujourd'hui :

- Ai-je aimé?
- Ai-je eu du plaisir?
- Étais-je détendue?
- Me suis-je gâtée?
- Ai-je pris le temps d'entrer en contact avec la nature?
- Étais-je *proche* de mes enfants et de mon mari?
- Ai-je ri avec une amie?

Depuis, j'aime ma liste *to do.*

L'essentiel en priorité

Ma vie défile rapidement, me ressemble-t-elle? S'il est difficile de déterminer mes priorités, je demande alors l'aide d'un ami ou d'un coach. Mes proches, mes passions, mes rêves constituent mon plus grand trésor. Je prévois du temps dans mon horaire afin de profiter pleinement de toute cette richesse.

30

Souriez les enfants!

Par Marie-Josée

La joie. Pas du tout la même chose que le plaisir qui, lui est lié aux sens. Une bonne bouffe, un massage relaxant, une belle nuit d'amour, un film divertissant, une fructueuse tournée de magasinage: bien-être instantané. Notre société excelle dans l'art de nous faire croire que *le plaisir* se veut *LE* remède à nos malaises intérieurs. Combien de fois me suis-je réconfortée en achetant un vêtement ou en ouvrant une bouteille de vin? Certes, pour un moment, je m'évade en oubliant mes tracas. Mais quand le spectacle de mes fantaisies est terminé, que reste-t-il de mes expériences épidermiques?

Et pour les autres, le plaisir est-il un gage de bonheur? J'ai constaté qu'il y a toujours, dans mon entourage, au moins une personne insondable. Ce genre d'individus que l'on regarde vivre en se demandant : « Comment fait-il pour être si fort et si heureux? » Le type qui traverse les tempêtes sourire aux lèvres, sans l'ombre d'un découragement. Et qui ne laisse surtout pas les autres décider de ce qu'il est. Je suis fascinée par de tels êtres. Leur bien-être intérieur ne semble pas reposer sur des possessions matérielles, ni sur des accomplissements professionnels. Le plaisir n'est pas ce qui les définit. En fait, je ne trouve pas d'autres mots que *joie* pour décrire leur rayonnement.

Mon père demeure encore, à ce jour, une véritable énigme à mes yeux. Qu'il conduise une voiture de luxe ou un vieux tacot, cet homme accorde peu d'importance à ces bagatelles. En bâtisseur-né, il a mis sur pied des entreprises non-conventionnelles, sous le regard parfois arrogant des autres, et il a réussi tout ce qu'il a entrepris. Avec le temps, il aurait pu engranger de grandes quantités d'argent, se payer un château d'un million de dollars, empiler des REER pour l'éternité, mais qu'en aurait-il fait? Il me répète sans cesse que si l'argent ne sert pas à être heureux, mieux vaut ne pas en avoir. Il donne généreusement aux siens, mais aussi à l'inconnu sur sa route.

Toutefois, rien ne m'impressionne plus que sa vigueur au combat, car il demeurera toujours le défenseur des petits. Gare aux prétentieux et aux profiteurs! À plus d'une reprise, mon père est monté aux barricades quand tous tremblaient de peur – de *saintes colères*. J'ignore où il puise sa foi quand il pense que tout va s'arranger. À ses côtés, les plus grandes épreuves perdent leur couleur dramatique. Dernièrement, je lui ai posé la question : « D'où te vient cette force, papa ? » Il a souri: « J'ai toujours été comme ça, à explorer la vie, à être curieux, à vouloir le meilleur pour tout le monde. » Ses mots, je les ai retournés dans ma tête. Son *Je suis né comme ça* ne se traduirait-il pas par « Je suis né avec la joie »?

La joie n'est pas du domaine du senti, ni de l'émotion constante. Elle ne signifie pas non plus être zen et en harmonie avec tout. Les êtres joyeux sont des êtres vrais. Si certains sont nés avec cette disposition, pour la plupart des humains, c'est un apprentissage que d'arriver à être authentique. Quand quelque chose cloche chez moi, mon père me le dit de façon bien directe. Avant, je m'offusquais, mais aujourd'hui, je vois cela comme une marque d'amour. Une relation avec son paternel se résume difficilement en une page. Reste que de mon enfance, je me souviendrai toujours des petits-déjeuners où il lançait gaiement : « Souriez, les enfants, la vie est belle ! »

Frais et dispos

Je surpasse les sentiments de tristesse et de lassitude. J'ouvre la porte sur la partie joyeuse de mon être, celle qui sait que tout ira bien. J'en fais mon refuge et je milite en faveur de l'allégresse en répétant : « Je suis fait pour être comblé, heureux et libre! » Je crois en ce personnage déterminé, car il s'agit bien de moi.

31

Ma meilleure amie

PAR JULIE

Ma meilleure amie avait l'air moche. Ses yeux cernés et vides trahissaient sa fatigue chronique. Elle souriait de moins en moins, refusait systématiquement toutes mes invitations en plus d'avoir perdu le bel entrain que je lui connaissais. Je devais mettre des gants blancs lors de nos conversations puisqu'elle s'emportait pour des pacotilles. Je voyais très bien que ça n'allait pas, mais comment lui en parler? Allais-je l'insulter ou même l'anéantir, si je lui avouais mon inquiétude à son sujet?

« Je ne me reconnais plus. J'ai de la difficulté à m'organiser et je manque de concentration. Je dois lire mes dossiers deux fois pour les comprendre et, l'autre jour, j'ai même manqué ma sortie sur l'autoroute. Ce n'est pas moi ça! Je ne suis pas triste, je ne ressens rien du tout. Comme si j'étais complètement engourdie », m'avoua-t-elle. Épuisement, difficulté de concentration, manque d'intérêt, irritabilité, ma camarade empruntait une pente très dangereuse. Il fallait qu'elle agisse avant que ça éclate. De quelle façon l'aider?

Je l'invitai à prendre un café. Doucement, je lui ai posé quelques questions et je l'ai écoutée. Petit à petit, elle a vidé son sac. Aucun événement tragique ne semblait à l'origine de son état. Mon amie était simplement surmenée. Quelques années d'un rythme effréné avaient eu raison de sa grande énergie : maternités, achat d'une maison et déménagement, nouvelle conciliation travail-famille, etc. Quand elle me demanda conseil, je profitai de l'occasion : « Tu as besoin de repos. Prends quelques jours seule à la campagne. Va lire, écrire, écouter des films et dormir. Tu dois te ressourcer, faire des choses que tu aimes, te gâter un peu. » Elle acquiesça et me dit qu'elle agirait dès le lendemain.

Ma camarade écouta ma suggestion de prendre du *temps pour soi,* car en réalité, cette *meilleure amie* n'était nulle autre que moi-même. Quelques années auparavant, j'avais remarqué à quel point je donnais amour et réconfort à mes copines quand elles vivaient des difficultés. Par contre, j'étais sans merci à mon égard. Dure, exigeante et froide, toutes les occasions s'avéraient bonnes pour me flageller et refuser d'écouter ce que revendiquait mon âme. Puis, j'en ai eu assez de tout cela et j'ai développé le truc de *ma meilleure amie*. En quoi consiste-t-il?

Chaque fois que je me sens ébranlée, je me demande : « Que dirais-je à ma meilleure amie si elle se sentait exactement comme moi présentement? » Immédiatement, je sais alors de quoi j'ai besoin. Il m'est ensuite facile de réagir avec compassion envers moi-même parce que je conseillerais précisément la même chose à une autre personne. Cette technique m'a confrontée à une question importante : *Est-ce que je veux me traiter comme une alliée ou bien comme une ennemie?* Manifester de la douceur envers ma personne a été crucial dans mon cheminement. Depuis ce changement, je suis beaucoup plus sereine. J'ai compris qu'en m'accordant plus d'amour, je serais nourrie intérieurement et qu'ainsi, je décuplerais mes chances de jouir d'une destinée harmonieuse.

Être son propre allié

J'éprouve de la fierté pour ce que je suis. Je me traite comme je le ferais pour une personne qui m'est chère. Chaque preuve de bienveillance à mon égard décuple mon énergie. Je deviens ainsi un aimant qui attire les occasions et les situations idéales.

32

Qui sait?

PAR MARIE-JOSÉE

Quand je me suis pointée au restaurant, ce matin du mois de mai 2009, Julie m'attendait de pied ferme. « J'ai quelque chose d'important à te dire », m'avait-elle confié au téléphone. Je souhaite à tous d'avoir une amie comme elle. Cette femme intègre fut, à plusieurs reprises, une grande messagère dans ma vie. À ses côtés, je me suis lancée dans la lecture de *Un cours en miracles* ainsi que dans l'écriture d'un premier recueil : deux projets déterminants dans mon cheminement des dernières années. Tel un précieux cadeau, notre amitié me ressource et me dynamise. Le ton de sa voix était enjoué, qu'avait-elle donc à me raconter?

« Je lis présentement un bouquin qui m'ouvre à de nouvelles perspectives. Je sais que tu désires travailler dans le domaine de l'intériorité, Marie-Josée, et moi, je souhaite vivre de mon écriture. Je veux qu'on fasse quelque chose *ensemble*! » Je la sentais nerveuse, car il ne s'agissait pas là d'une proposition, mais plutôt d'un ordre, comme si une force parlait à travers elle. « Bonne idée! » répondis-je tout en analysant la situation. « Comment lui dire non, elle semble si emballée. Ai-je vraiment le temps de me lancer dans une telle aventure? » Si mon mental retournait rapidement la question, mon petit doigt me disait de foncer.

Nous avons mis à notre agenda des sessions de remue-méninges pendant deux mois. Puis, Julie est partie vivre à Las Vegas. Le café hebdomadaire a fait place à la vidéo-conférence. Nos plans du début se situaient bien loin d'un site Internet! Nous cherchions un projet capable d'amener les gens à l'intérieur d'eux-mêmes. Finalement, ce que Julie avait pressenti lors de notre fameux petit-déjeuner a pris forme neuf mois plus tard. Notre espace Web *En Amour Avec La Vie* est né sans même qu'on s'en rende compte, par pur plaisir. Je me souviens avoir dit à ma co-équipière : « Amusons-nous, écrivons! Si jamais ça n'intéresse personne, on fermera nos portes. »

Quand l'inspiration passe, il faut la saisir. Pas question d'analyser, de prévoir, de calculer. Juste écouter la vibration qui résonne en nous. Voilà ce que j'ai fait quand Julie m'a suggéré de faire équipe. J'ai suivi mon *feeling* tout en sachant que l'on partait de zéro. Mon cœur disait : go! Julie et moi avons en commun cette conviction que le chemin nous sera montré en temps et lieu. Notre seul pouvoir consiste à poser des gestes concrets. Je continue de remercier mon amie d'avoir eu le courage de me faire part de son intuition et d'insister.

À ce jour, nous comptons des milliers d'abonnés à notre blogue. Incroyable! Quel immense privilège pour nous d'avoir la considération d'autant de personnes! Cela nous a conduites à publier un premier livre. Combien de projets excitants ou de bonnes idées naissent autour d'un repas et meurent dès qu'on quitte la table? Ce jour-là au restaurant, nous avons pris la décision d'oser, d'essayer. Pendant longtemps je n'ai fait que *rêver ma vie*. Maintenant, je sais qu'il est possible de concrétiser mes aspirations. Écouter mon intuition, suivre l'inspiration, passer à l'action, qui sait où cela me conduira?

Assez de bla bla bla

Que vais-je faire dans la prochaine heure pour concrétiser mon rêve? Quel geste vais-je poser dès demain pour atteindre mon objectif? Quelle décision vais-je prendre cette semaine pour obtenir un résultat tangible? L'heure est à l'audace ainsi qu'à l'action, j'utilise ma créativité.

33

Photoshop

PAR JULIE

« Souris. Penche la tête à droite. Ramène l'épaule vers l'arrière. C'est ça, souris. » Pendant plus d'une heure, Marie-Josée et moi avons joué les mannequins. Désirant rafraîchir le *look* de notre site Web, nous avions sollicité les services d'une photographe professionnelle. La séance terminée, nous attendions impatiemment le dévoilement des résultats sur l'ordinateur. À la vue des images, la petite voix réductrice de mon adolescence ressurgit : « Il me semble que j'ai l'air grosse. Mes cheveux sont moches. Ai-je réellement autant de rides? » Un sourire aux lèvres afin de dissimuler mes angoisses intérieures, je félicitai notre photographe : « Elles sont très belles, merci. » « Choisissez-en quelques-unes et je les retoucherai », nous dit cette dernière. En fait, c'est toute ma perception quant à l'acceptation de soi qui allait être retouchée.

Deux jours plus tard, je reçois un courriel de la photographe avec nos photos finales. Excitée, j'ouvre les fichiers. Wow! Elle m'avait rajeunie de cinq ans : peau immaculée, teint lisse, bleu des yeux éclatant. Tout en la remerciant pour son superbe travail, je lui fis part de mon étonnement quant à la transformation de mon apparence initiale. « Je l'ai à peine retouchée, me précisa-t-elle. Tu devrais voir ce qu'ils font aux photos des célébrités dans les magazines. » Elle me recommanda alors un site Web qui allait tout simplement me jeter par terre.

Je soupçonnais bien qu'on retouchait les photos des célébrités. Par contre, j'ignorais jusqu'à quel point elles l'étaient. Je me rendis donc sur http://www.iwanexstudio.com/ et je me suis prêtée au jeu. J'ai cliqué sur *portfolio*, puis sur les photos des artistes, pour ensuite promener mon curseur sur et à côté des photos. Quelques minutes de ce divertissement révélateur m'ont amenée à réfléchir. Pas de doute, les magazines influencent encore ma perception parce que j'ose croire aux images transformées qu'on nous présente. Toutes ces femmes de quarante ans qui en ont l'air de vingt, ces fesses parfaites sans aucune cellulite, ces yeux reposés exempts de cernes. Comment discerner le vrai du faux?

Je songeai à mon adolescence et à tout ce temps passé à me soucier de mon apparence. Les magazines *Filles d'aujourd'hui* et *Clin d'œil* constituaient ma lecture de chevet. J'admirais ces superbes filles et je souhaitais secrètement devenir mannequin. Ces déesses représentaient des modèles à copier : style vestimentaire, coupe de cheveux, maquillage et, bien sûr, poids. S'ensuivait alors une perpétuelle course à la perfection. À cette époque, je n'étais pas consciente des artifices qu'utilisaient les magazines. Pour moi, c'était la réalité, le *vrai,* et j'étais certaine de pouvoir les émuler. Avec les années, avais-je enfin compris que cette recherche du physique parfait était utopique?

Que les photos avant/après des célébrités me choquent encore aujourd'hui prouve que je continue de me méprendre. Quand je suis à l'épicerie et que je feuillette rapidement les revues, ma première réflexion est : « Wow! Cameron Diaz est vraiment *en pleine forme!* » et non pas « Ils ont bien éliminé les poches sous ses yeux. » Cela étant dit, se soucier de son apparence n'est absolument pas futile. Je prends plaisir à manger sainement, à faire de l'exercice tout comme je n'ai aucune réticence à utiliser les cosmétiques pour me dorloter et présenter le meilleur de moi-même. Mais la satisfaction ultime survient quand je me regarde dans le miroir en me disant : « Je m'aime comme je suis, avec mes lignes, mon nez, mon ventre qui a porté deux bébés, etc. » Quelle incroyable sentiment de liberté et de légèreté quand j'arrive à me considérer ainsi!

S'afficher

Les soins accordés à mon physique sont le miroir de mon état d'être. Ma nonchalance face à mon apparence relève-t-elle d'une sensation de lassitude et d'abattement? Ou est-ce que j'y attache trop d'importance par manque d'estime personnelle? Je dois trouver l'équilibre et la perception de ma beauté en sera transformée.

34

Des lutins au jardin

PAR MARIE-JOSÉE

« Debout, fiston, c'est aujourd'hui qu'on va au Jardin botanique. » « Youppi! » réagit mon fils tout émoustillé. Excité, il me défila la liste des choses à faire avant de partir : s'habiller, déjeuner, peigner ses cheveux, ne pas oublier mouch-mouch (son ourson fétiche). Je l'observais avec l'impression de me revoir, enfant. Je détestais alors aller au lit et j'avais hâte au lendemain. Comme s'il y avait tellement *à vivre* pour le peu de temps dont je disposais. J'adorais les matins. Comment se fait-il que cet amour spontané de la vie se mette à diminuer en vieillissant ?

Sitôt arrivés à la garderie, nous nous sommes glissés dans la file pour attendre l'autocar. C'est vraiment un privilège d'être un parent accompagnateur pour de telles journées. Je ne connais pas de joie plus pure que celle d'un groupe d'enfants de quatre ans. Ils sont si mignons. Une véritable injection de bonne humeur, où le ludique m'ouvre à une autre perception des événements du quotidien. Entrer dans leur monde me ressource intérieurement. Je ne suis pas du genre à jouer des heures aux petites voitures, mais je suis toujours partante pour une activité de plein air, sportive ou éducative. Et lorsque le bus est apparu dans le stationnement, je me suis surprise à crier avec eux : « L'autobus ! L'autobus ! L'autobus ! »

Ce qu'il y a de plus merveilleux avec une tribu de petits humains, c'est qu'on devient vite leur idole. Les « Marie-Josée » fusant de toutes parts témoignaient de ma soudaine popularité. Calme, je m'efforce toujours d'être à l'écoute de chacun, chacune. Je veux que mes yeux et mes gestes soient rassurants et apaisants, car se sentir en sécurité, n'est-ce pas un besoin fondamental pour eux? L'anxiété touche nos enfants à cause du rythme effréné de nos existences. Le stress que nous ressentons, ils le vivent et en subissent les conséquences. Toutefois, ils savent mieux que quiconque plonger dans le présent. En entrant dans le tunnel L.H. Lafontaine, le « woowww! » cristallin et généralisé de ces quarante bambins m'a fait éclater de rire. Ce morne corridor de béton devenait tout à coup un pays enchanté.

Il y avait plus de vingt-cinq ans que je n'avais pas mis les pieds au Jardin botanique. La mise en scène pour l'Halloween y est émouvante : spectacles, citrouilles et sorcières, tout pour éblouir. Plusieurs écoles et garderies visitaient les lieux le même jour donc, pas une seule minute de répit pour les adultes en charge. Chose certaine, je n'ai pas manqué ma vocation. Les éducatrices sont extraordinaires. Elles aiment nos enfants presque autant que nous. Comment font-elles? Où puisent-elles tant de patience? On dirait de belles ensorceleuses capables de charmer toute la marmaille du monde. Ah! J'aimerais bien avaler quelques gouttes de leur potion magique.

Ce soir-là, quand je suis entrée dans la chambre de mon fils pour éteindre la lumière, il dormait profondément en serrant contre lui un livre d'histoires. Encore là, j'ai souri. Un grand sourire, voilà l'empreinte que tous ces lutins avaient laissée dans mon cœur. Il est vrai que le banal n'existe pas pour eux, tout est sacré. Leur enthousiasme a ravivé mes habitudes d'enfance : l'émerveillement, l'abandon, la simplicité. Cela ne suffit-il pas pour être en amour avec la vie?

« Rien n'est trop beau ni trop grand pour un enfant, tout est solennel. »

Francis Bossus

Voué à l'intensité

Ce moment peut être mémorable si c'est ce que je désire. Je respire profondément, je constate la chance que j'ai d'être ici. De tout mon être, je crie *wow!,* comme si j'apprenais une bonne nouvelle. Cet instant est vif, limpide, vigoureux. Cette minute est merveilleuse. Cette heure est sublime. J'en profite pleinement.

35

La course du hamster

PAR JULIE

« Passons au salon », suggéra aimablement mon hôtesse. Les enfants installés devant un film, je la suivis, un verre de vin à la main. Je connaissais Erhin depuis quelques mois seulement. Nous avions rencontré ce couple formidable via l'école de nos filles lors de notre séjour aux États-Unis. Avec grande générosité, Erhin et son mari nous recevaient à souper pour souligner notre retour au Québec. Sans que je m'y attende, ma nouvelle amie me posa d'emblée *la* question fatidique : « Comment vois-tu ton retour au travail? »

Les sept derniers mois de mon existence avaient été idylliques. En congé sans solde, mes journées se déroulaient au gré de mes envies. Un réveil en douceur, sans réveille-matin, l'école débutant à neuf heures. J'ai adoré ces matins à siroter mon café tout en préparant lentement mes enfants pour leur journée. Une fois les demoiselles conduites à leurs cours, mon horaire oscillait entre la lecture, l'écriture et le yoga. Cinq heures par jour consacrées entièrement à ma personne. Wow! Vers les 15 h, j'allais chercher mes filles et je m'occupais d'elles jusqu'au dodo. Même si ce régime de *lenteur* m'avait permis de récupérer physiquement et que j'avais à nouveau envie de travailler à l'extérieur de la maison, j'appréhendais le rythme effréné de la vie, une fois chez moi. Comment pourrais-je préserver cette nouvelle paix intérieure?

J'exprimai mes craintes à ma copine : « Tu sais, au Canada, j'ai un emploi à temps plein. J'aime ce que je fais, mais je croule souvent sous la quantité de tâches à accomplir. Le travail, la maison, les enfants, il reste peu de temps pour moi. Je cours du matin au soir. » Erhin m'écouta attentivement, sans m'interrompre. L'expression de son visage me disait qu'elle me comprenait très bien. C'est alors qu'elle y alla d'un conseil tiré de sa propre expérience.

« L'an dernier, j'ai eu quarante ans et j'ai décidé de mettre un terme à la course folle du hamster dans sa roue. Je me sentais comme ce petit animal, incapable de s'arrêter par lui-même. Je voulais *tout* faire, *tout* réussir et je me couchais, constamment insatisfaite de mes journées. J'ai voulu voir la vie autrement. Chaque jour, je me disais : *Aujourd'hui, je vais faire de mon mieux.* » Ces mots résonnèrent en moi comme une révélation. Sans qu'elle le sache, les paroles d'Erhin allaient m'aider à réintégrer le marché du travail sainement.

J'ai toujours aimé accomplir des choses. Peut-être même trop. Intransigeante envers moi-même, je fais partie de celles qui gagneraient à ralentir. Travailler bien et fort, oui, mais pas à n'importe quel prix. Le quotidien vécu à toute vitesse, dans la tension associée à la recherche de résultats, n'est-ce pas ce qui nous mine moralement? Quand une journée s'achève, si je n'ai pas accompli toutes les tâches désirées, je me pose la question : *Ai-je fait de mon mieux?* Dans l'affirmative, je me sens en paix et je reporte simplement ce qui n'a pas été fait au lendemain. Si la réponse est non, j'essaie de découvrir de quelle façon m'améliorer dans le futur. Résultat? Je me sens plus détendue, j'éprouve moins de culpabilité et j'ai davantage de plaisir au travail. Ça vaut la peine, non?

Le reste attendra

Les draps n'ont pas à être changés si fréquemment, le gazon peut pousser encore un peu et le débordement du garage ne constitue pas un danger. Crouler sous les responsabilités est drainant. Donc, je décroche et je prends le temps de m'amuser afin de refaire le plein de vitalité.

36

Priez pour nous

Par Marie-Josée

Grâce à la canonisation du Frère André, un vent religieux a soufflé sur le Québec, l'espace de quelques jours. L'oratoire Saint-Joseph est devenu un endroit *in*, propulsant du même coup des figures ecclésiastiques à l'avant-plan de l'actualité. Je n'aurais jamais cru qu'ils seraient des milliers à célébrer au Stade olympique! Puis-je le dire? Ça m'a fait du bien. J'irais même plus loin : ça me rassure toujours de voir les gens fouler le parvis d'une église et prier. Il y a une incompréhension frôlant le mépris envers les personnes qui vont à la messe ou qui déroulent leur tapis pour la prière. En quoi est-ce anormal de se recueillir et d'entrer à l'intérieur de soi?

Née en 1972, j'ai connu l'époque de la messe dominicale et de l'initiation aux sacrements à l'école. Je chantais dans une chorale de jeunes, mon frère était servant de messe, ma sœur s'occupait des acétates. Malgré le mystère enveloppant ce cérémonial, je conserve un bon souvenir de mes heures passées dans le chœur ou dans la sacristie. Avec mes copines, on pouffait de rire à la moindre bagatelle. Monsieur le curé a été d'une indulgence exemplaire envers nous. Malgré tout, je réussissais à prier pendant quelques secondes. Ça peut sembler idiot, mais accomplir mon devoir religieux m'apportait une sorte de paix d'esprit. Je me suis toujours demandé que pouvait en être la raison.

Dans le grand vacuum de la révolution tranquille, l'Église a passé un mauvais quart d'heure. Petit à petit, la population a déserté les lieux saints et la religion a connu un irréductible déclin. L'idée de Dieu, le concept d'une vie après la mort, la prière, les rituels comme le baptême et le mariage sont devenus de plus en plus absents du discours social. La laïcité a pris de l'ampleur. « Plus besoin d'aller à la messe, *yes* ! » me suis-je dit à l'âge de 15 ans. En me débarrassant de cette obligation, je mettais de côté le silence ainsi que le seul moment de la semaine où je réfléchissais vaguement à mon existence.

En tant qu'ex-religieuse, est-ce surprenant que la prière fasse partie intégrante de ma routine? Au fil des ans, j'ai découvert que prier consiste à plonger en moi. Plusieurs fois par jour, je me recueille à l'insu de tous afin d'invoquer la Lumière de mille et une façons : « Mon Dieu, aidez-moi à régler ce problème. », « Hey, la gang en haut! Occupez-vous de cette situation, car c'est au-delà de mes compétences. » Parfois, c'est vers mes proches décédés que je me tourne : « Grand-papa, je me sens seule, envoie-moi un petit signe. » Mon regard vers le ciel est également teinté de gratitude. Dire *merci* du fond de mon cœur me fait apprécier ma famille, mon travail, la magie du quotidien.

Si je manque de mots, certains livres comme *Un retour à la prière* de Marianne Williamson s'avèrent une véritable inspiration. Quelquefois, je ressens le besoin d'aller à l'église afin de me laisser bercer par la prière des autres. En vérité, la formulation, l'endroit et la position importent peu. M'élever au-dessus des problèmes pour m'ouvrir à de nouvelles possibilités, voilà deux effets bien concrets d'un recueillement sincère. Oui, prier m'aide à passer en mode solution. Certains clament haut et fort que c'est une pratique pour les faibles, mais je préfère ma *faiblesse* à leur grande force pour ce qui est de juger autrui.

Jamais seul

La réalité se limite-t-elle à ce que mes yeux voient? Y aurait-il quelque chose d'autre, quelque part, au-delà des nuages et des arcs-en-ciel, mais aussi présent au centre de tout être humain? Je fais appel à la foi qui sommeille en moi. Cette complice, capable de redonner espoir, peut me faire franchir n'importe quel obstacle.

37

Plein la vue

Par Julie

« Ce soir, je t'amène au *Picasso* », me déclara mon amoureux. Au *Picasso* ? Wow! J'en rêvais depuis notre arrivée à Las Vegas. Reconnu mondialement pour sa table, ce restaurant est situé en devanture du *Bellagio*, un magnifique hôtel particulièrement célèbre pour ses immenses fontaines et son plafond de fleurs en verre de Murano. « J'ai même réservé une table sur la terrasse », renchérit-il. Pas de doute, nous allions vivre une expérience sensorielle inouïe où nos papilles gustatives et nos yeux seraient comblés. Effectivement, le destin allait m'en mettre plein la vue.

En route pour le restaurant, mon chum me confie: « Claire fait une récidive de son cancer. » Quoi? L'espace d'un instant, mon cœur a un raté et mon sang s'affole dans mes veines. Qu'allais-je dire à cette femme? Comment me comporter en sa présence? Nos conjoints se fréquentaient régulièrement sur les terrains de golf, mais j'avais croisé Claire à quelques reprises seulement. Mon rêve d'une soirée légère et amusante venait de s'envoler. Quoique, avec un peu de chance, je pourrais feindre de ne pas savoir et simplement tenter d'éviter le sujet.

« Ils sont là! » s'exclama mon conjoint. J'aperçus de loin notre amie qui portait un joli chapeau coloré camouflant son crâne dégarni. Impossible de nier les faits. Après les accolades habituelles, les hommes discutèrent de golf tout en se dirigeant vers notre table. Leur emboîtant le pas, je m'informai poliment si le voyage en avion s'était bien passé. Tout en écoutant d'une oreille distraite, j'observais Claire. « Elle a fait de la chimio, c'est évident. Et peut-être aussi de la radio. Mon Dieu que ses yeux sont pétillants! » me dis-je. Devrais-je la questionner sur sa maladie ou taire cette douloureuse épreuve? En même temps, cette femme vivait une expérience profonde, comment pouvais-je en faire abstraction? Plus tard, au cours du souper, j'ai osé aborder le sujet.

Claire nous résuma le parcours de sa terrible maladie, mais aussi comment sa perception de la vie avait changé depuis. Pour elle, le quotidien ressemblait maintenant à un gâteau triple chocolat qu'elle dévorait à pleines dents. Puis, les larmes aux yeux, elle nous avoua : « Je suis tellement émue que vous preniez de mes nouvelles. Bien de mes amis proches se sont éloignés, car ils se sentaient désemparés et incapables d'affronter cette situation qui est mienne. À certains moments, la solitude est l'aspect le plus pénible de cette expérience. Merci de vous intéresser à moi. » Nous étions maintenant quatre à pleurer.

Par sa force et son ouverture d'esprit, cette femme a marqué mon cœur à jamais. La gastronomie du *Picasso*, les fontaines et les fleurs du *Bellagio* n'auraient pas été aussi éblouissantes sans cette discussion. N'est-il pas normal de se sentir mal à l'aise devant une personne qui souffre d'une maladie grave? On voudrait tant trouver des mots de réconfort et pouvoir proposer des solutions. Écouter et démontrer de l'intérêt semble minime comme contribution, mais cela devient un cadeau inestimable pour la personne qui traverse une épreuve difficile. Vaincre mon inconfort ne m'a demandé qu'une petite dose de bravoure. C'est peu comparé à l'immense courage dont Claire fait preuve chaque jour.

Oser la compassion

Est-ce que je me sens impuissant devant la souffrance que vit un être cher? Cette personne ne réclame que ma présence. Je ne dois pas chercher quoi dire, ni comment me comporter, simplement être à ses côtés. En manifestant attention et intérêt, j'enveloppe l'autre d'une vigueur insoupçonnée.

38

Être soi et rien d'autre

PAR MARIE-JOSÉE

« Papa, s'il te plaît, achète-moi cette poupée! » Âgée de sept ans et entêtée de nature, j'y allais de grandes supplications. J'étais éblouie par cette blonde élancée vêtue d'une robe de princesse. Secrètement, je voulais apporter ce trophée à l'école pour me sentir aimée et admirée de tous. À défaut de ne pas être première de classe, cette nouvelle amie me valoriserait sûrement auprès de mon enseignante. J'ai tant insisté que mon paternel a cédé à ma demande. J'étais fière de trimballer ma blondinette, mais je me souviens surtout que l'intérêt de mes copines s'est estompé après quelques minutes.

Adolescente, je croyais dur comme fer que l'estime de soi reposait sur l'image. Et zut! J'avais quelques kilos en trop. Maigrir était donc devenu mon but ultime. J'imaginais qu'un régime aux ananas ou que la diète dont un magazine vantait les avantages me rendrait parfaite. Vêtue d'un cuissard vert menthe ainsi que d'un t-shirt assorti, j'entrepris des séances de jogging et de musculation afin de prouver ma détermination. Mais, malgré tous mes efforts, je ne ressemblais pas aux tops modèles. L'objectif suprême s'est ainsi transformé en une obsession malsaine: j'ai développé une tendance anorexique et boulimique. Pas très joli à révéler. Mon projet d'un corps svelte tournait au cauchemar.

À l'aube de la trentaine, alors que je sortais d'une communauté religieuse, j'ai déniché un emploi bien rémunéré dans la vente. Incertaine de ma valeur, j'avais besoin de faire mes preuves sur le marché du travail. Dès la première année, je me suis classée dans le top quarante-cinq des meilleurs vendeurs de la compagnie. Alors que tous les autres avaient disposé de douze mois pour réaliser cette performance, je n'en avais eu que onze. En montant sur la scène pour recevoir un modeste prix, j'ai constaté le côté éphémère de la chose. Mon sentiment de bien-être n'avait duré que quelques minutes. J'avais trimé dur pour quoi exactement?

La confiance se construit-elle en accumulant des biens matériels? Suis-je seulement ce que je vois dans le miroir? Vais-je passer mon existence à ne pas aimer mon corps? Faut-il être un bourreau de travail pour avoir de l'importance? Est-il possible de maintenir la première position dans tous les palmarès : famille, carrière, beauté, richesse? Tant de questions en rafale! Récemment, ces paroles de l'actrice Reese Whitherspoon ont éclairé ma réflexion : « *Je ne serai jamais la plus mince, la plus jolie, la plus intelligente et la plus drôle. J'essaie simplement d'être la meilleure version possible de moi-même.* »

Rien ne sert d'être la meilleure en tout si l'on croule sous le poids de l'anxiété ou des qu'en dira-t-on. Bien sûr, je suis soucieuse de ma taille, mais la prison de l'image est terminée. Naturellement, je veux une belle maison et des voyages, mais sans pour cela être esclave de l'argent. Je souhaite une carrière prolifique, mais pas en faisant un travail que je déteste. Je veux me sentir vivante de l'intérieur, je veux m'éclater! Alors, pourquoi ne pas développer au maximum mes habiletés de communicatrice et de leader? Et chercher des occasions pour les exercer? Miser sur ce que je suis déjà au lieu de vouloir être quelqu'un d'autre, voilà mon nouveau programme de vie.

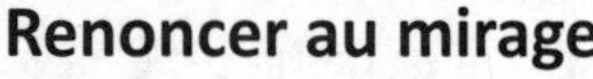

Renoncer au mirage

Pendant que je coure après ce que je souhaite devenir, j'oublie ce que je suis. Stop! Je prête attention à cette personne que je vois dans le miroir chaque matin. La vision que j'ai d'elle, est-elle juste et équitable? Je mérite de me découvrir et d'être en amour avec moi-même.

39

La débutante

Par Julie

Les filles étaient maintenant bien intégrées à leur nouvelle école, j'avais dormi tout mon saoul et lu huit heures par jour durant les deux dernières semaines. L'envie de bouger me démangeait. Las Vegas avait-elle une nouvelle expérience sportive à me faire découvrir? En me rendant à l'épicerie, j'aperçus une affiche : Bikram yoga. « Cela pourrait être intéressant », me dis-je en stationnant ma voiture devant le studio. À peine étais-je entrée, qu'une forte odeur de transpiration me donna un haut-le-cœur. La discipline en question consistait en une série de vingt-six postures répétées deux fois, le tout exécuté dans un studio chauffé à 105 degrés Fahrenheit, avec un taux d'humidité de 40%. Une session dure quatre-vingt-dix minutes. « Nous avons un prix spécial pour un cours d'essai, vous devriez en profiter », me proposa gentiment la dame à l'accueil. Et pourquoi pas? Je me suis donc inscrite pour le lendemain.

L'enfer! Après cinq minutes, mon t-shirt et mon short étaient complètement détrempés. Voilà pourquoi les yogis portent un bikini dans ce foutu cours! J'ai vidé ma bouteille d'eau en quinze minutes. J'allais perdre au moins un litre de sueur dans la prochaine heure et quart, sans rien pour remplacer ces liquides. En peu de temps, je me retrouvai assise sur mon matelas, étourdie et nauséeuse. Le professeur m'avisa que l'important était de ne pas quitter le studio, trop dangereux pour les évanouissements. Honteuse, j'ai terminé la séance dans cette position. « Applaudissez Julie, pour être demeurée dans le local jusqu'à la fin du cours », annonça l'enseignante dans son micro. Avec un sourire forcé, je remerciai mes compagnons en me promettant qu'ils ne me reverraient jamais. Ne *jamais* dire jamais!

J'y suis retournée trois jours plus tard. Au bout de deux semaines, je terminais les cours avec moins de difficulté. Adepte des sports exaltants et enivrants, j'étais stupéfaite de mon intérêt pour cette discipline plutôt monotone. À chaque session, on recommence inlassablement les mêmes vingt-six postures. Pas de quoi exciter qui que ce soit! Néanmoins, je persistais. Étaient-ce les changements sur ma silhouette qui me motivaient ou les nouvelles facultés mentales qui émergeaient en moi?

Après deux mois de pratique, une débutante s'installa à mes côtés par hasard. Immédiatement, je vis ses difficultés. Pleine de détermination, elle attaquait violemment chaque posture et reprenait de plus belle dès qu'elle perdait l'équilibre. Le souffle court, elle déployait une force herculéenne. Mais, plus elle essayait, plus son énergie la quittait. Je me suis reconnue en cette femme : j'ai toujours voulu que les choses aillent *vite* dans la vie. Déployer de grands efforts afin d'obtenir ce que je voulais ne m'effrayait pas. Discipline, détermination et enthousiasme m'avaient bien servie jusqu'à présent. Par contre, il m'arrivait d'abandonner mes projets parce que j'étais trop épuisée ou parce que les résultats étaient mitigés. Je butinais alors sur un nouveau but, convaincue que celui-ci allait m'apporter davantage de bonheur. La pratique du yoga développait en moi de nouvelles habiletés qui allaient grandement me servir.

À l'instar de ma voisine, le fait de maintenir mes postures, malgré la chaleur et l'humidité, relevait de trois composantes essentielles : *patience, persévérance* et *concentration*. Au fil de mes pratiques, mon esprit m'indiqua clairement l'attitude à adopter pour réaliser mes rêves. « Julie, tu sais maintenant que tu veux devenir auteure. Concentre tes efforts, élimine les activités futiles qui consomment ton temps et t'empêchent de pratiquer l'écriture. Patience, le succès fleurira en temps opportun. Demeure calme et persévère malgré les difficultés. » J'avais mis des années à découvrir mes véritables aspirations. J'étais même passée à l'action en commençant mon premier roman. Maintes fois, j'ai perdu de vue mon but, croyant que je n'y arriverais jamais, qu'après tout, ce n'était pas si important que ça. Lorsque le découragement me gagne, je repense à la *débutante* et je me répète : patience, persévérance et concentration. Instantanément, je trouve la motivation nécessaire pour faire un pas de plus vers mes objectifs.

Enclin au succès

« Il faut de l'argent pour pouvoir faire de l'argent. » « En affaires, le plus important, ce sont les contacts. » « Impossible d'avancer sans diplôme universitaire. » Ces croyances ne sont vraies que si je les accepte. La réussite exige effort et ténacité, des qualités que je possède. Je fonce en toute confiance.

40

La mijoteuse

PAR MARIE-JOSÉE

Je vois grandir mon fiston avec enthousiasme et inquiétude. Le monde dans lequel nous vivons est tellement différent du mien à son âge. Taxage, drogue, classes trop nombreuses, violence réelle et virtuelle, et bien d'autres. Saura-t-il performer comme la société s'y attend? Trouvera-t-il de bons amis? Suivra-t-il la voie de sa conscience malgré les pressions en faveur de la conformité? Ces questions flottent constamment autour de moi. Parfois elles planent de façon angoissante. Lorsque c'est le cas, je les mets dans la mijoteuse.

Je déteste les conflits. Lorsqu'il y a confrontation, pourquoi rester? La fuite donne pourtant de piètres résultats. Elle n'efface pas la colère, la déception ni la culpabilité. Étant de nature hypersensible, les guerres sans fin grugent ma vitalité. Cependant, rétablir le contact après une engueulade ou une prise de bec ne s'avère pas chose facile. En plus d'admettre nos torts, il importe de faire preuve d'humilité. Encore faut-il que l'autre soit réceptif. Quand toute mon énergie est absorbée par une telle situation, j'ai recours à la mijoteuse.

J'ai tellement de projets à réaliser. Vais-je y arriver? Comme je suis constante dans mes efforts et dans mes actions, j'aspire à des résultats instantanés. Parfois, le doute m'envahit. Je remets alors en question la mission de vie que je me suis donnée. « Hey! Réveille-toi, Alice au pays des merveilles. Tu rêves en couleur. Ton écriture n'intéresse personne, pas plus que tes grandes aspirations existentielles. » Ah! Cette voix pernicieuse à l'intérieur de moi, comme un insupportable moustique dont on voudrait se débarrasser. Il faut laisser le temps faire son œuvre. Quand je n'y arrive plus, je sors la mijoteuse.

Le jugement des autres. J'essaie vainement de me convaincre qu'il ne m'affecte pas, mais il me déstabilise. Surtout quand il vient de mes proches. Avec les années, j'ai appris que je ne peux rien y faire. Me justifier ne mène nulle part. Difficile de garder le silence devant un regard froid, une parole condescendante ou des bras croisés. Encore plus douloureux de voir une amie me mettre au rancart. Même si je me dis qu'elle est jalouse de ce que je vis ou qu'au fond, ces gens m'envient, rien n'y fait. Aucune de ces explications ne sèche mes larmes. Quand elles inondent mon cœur, je les verse dans la mijoteuse.

Un jour que je souffrais d'une extinction de voix, Isabelle m'a dit que j'avais quelque chose à exprimer et que je m'empêchais de le faire. C'était vrai et je savais exactement de quoi il s'agissait. Elle m'a alors parlé de sa mijoteuse remplie d'amour, de lumière, de bonnes pensées. À tout instant, elle y dépose ses préoccupations ainsi que ses inquiétudes. Une façon réconfortante de lâcher prise et de laisser mariner les problèmes qu'on considère sans issue. Elle m'avait confié qu'elle finissait toujours par trouver une solution, que tout s'arrangeait. L'idée m'a plu et mon esprit s'est procuré une mijoteuse sur le champ. Depuis, je cuisine pratiquement tous les jours!

L'entre-deux

J'accepte ce temps d'attente. Je mets en place ma propre imagerie mentale me permettant de lâcher prise : mijoteuse, classeur, contact avec la nature, etc. Mon cerveau est une fantastique machine capable de maîtriser l'anxiété ou l'inquiétude. J'ai donc recours à la puissance de mon esprit.

41

Des ailes et un halo

Par Julie

Au moment du coucher quand j'étais une petite fille, ma mère me suggérait de demander à mon ange gardien de me protéger quand je lui exprimais ma peur des monstres. Dès qu'elle quittait ma chambre, je fermais les yeux en imaginant une créature ailée avec un halo. « Ange gardien, veille sur ma famille, protège-moi du *Bonhomme Sept Heures* et fais que notre maison ne passe pas au feu cette nuit. » Voilà à quoi ressemblaient mes prières d'enfant. Mais d'où vient cette croyance qu'un être invisible assure notre bien-être? Nos supplications se perdent-elles dans le vide? Bénéficions-nous d'une meilleure protection parce que nous l'implorons?

Août 2003. Au beau milieu de la nuit, un bruit assourdissant nous réveille. Paniquée, je me précipite aussitôt dans la chambre de mon bébé de trois mois. Heureusement, ma petite fille dort à poings fermés dans sa couchette. Ouf! Mais d'où provenait ce vacarme? Mon conjoint et moi descendons au rez-de-chaussée afin d'élucider ce mystère. En apercevant le meuble audio-vidéo, des sueurs froides me parcourent l'échine. La tablette soutenant notre téléviseur s'était écroulée et celui-ci reposait, sur le plancher du salon, exactement à l'endroit où j'installe quotidiennement ma fille avec son tapis de jeu.

Jour de l'An 2005. Pendant que les adultes rient et discutent, les enfants s'amusent à monter et descendre les escaliers qui mènent à la scène, à l'avant de la salle. Je m'absente en douce pour rejoindre ma plus jeune afin de m'assurer que tout va bien. « Comme elle grandit ! » constatai-je en la regardant jouer avec ses cousines. Au même moment, je ressens un besoin irrépressible de me retourner. Une fillette s'apprête à sauter au bas de la scène, avec le cordon des stores verticaux enroulé autour de son cou. Le coeur affolé, je lui conseille de ne plus jamais recommencer tout en faisant le tour des fenêtres de la pièce.

Lors de ces deux occasions, j'ai eu l'impression que la Vie voulait capter mon attention. La tablette de notre meuble n'était pas assez solide pour soutenir notre téléviseur. Se pouvait-il qu'un *esprit* bien intentionné l'ait fait tomber en pleine nuit pour éviter le pire? Une petite fille allait sauter dans le vide, une corde autour du cou. Son ange gardien m'a-t-il tapé sur l'épaule juste au bon moment? Difficile de prouver scientifiquement de telles hypothèses. Pourtant, je reste convaincue que quelque chose d'exceptionnel s'est produit. Comme si un autre univers s'était révélé à moi.

Existe-t-il un monde invisible parallèle au nôtre ? Y a-t-il des entités capables de nous guider ? La réalité se limite-t-elle à la seule perception de nos cinq sens ? Ces questions continuent d'alimenter des discussions parfois enflammées. Chacun est libre d'y croire ou non. Pour ma part, je n'ai plus de doutes. Mon expérience personnelle et la relation que j'entretiens avec l'invisible, grâce à la prière et à la méditation, apportent sens et richesse à mon quotidien. Alors, oui, je demande encore à mon ange gardien de protéger ma famille, de nous accorder la santé et l'abondance. Comme le dirait le mathématicien et philosophe Blaise Pascal, s'il était encore de ce monde : « *Qu'ai-je à perdre d'y croire?* »

Et si c'était vrai!

La preuve scientifique n'est pas un absolu. Combien d'individus ont été ridiculisés sur la place publique pour leurs idées farfelues? Jusqu'à ce que celles-ci deviennent un avancement spectaculaire pour l'humanité. Si la spiritualité apporte sens, richesse et réconfort dans mon quotidien, pourquoi m'en passer?

42

Les sauveurs de ce monde

PAR MARIE-JOSÉE

Noël, une fête trop commerciale? Le spectacle qui entoure ce moment de l'année me fait rêver. D'attrayantes vitrines, un centre-ville illuminé, des publicités montrant des gens épanouis, de ravissantes décorations. Oui, il est vrai que nous avons droit à un folklore plus capitaliste que celui d'antan. Est-ce si terrible? Ils sont nombreux ceux qui s'attristent de voir que les rites religieux perdent en popularité. Bien que les messes de minuit à l'heure solennelle me manquent et que *Il est né le divin Enfant* reste numéro un au palmarès de mes chansons préférées de Noël, ce ne sont que des accessoires. À vrai dire, je cherche encore le sens de toutes ces festivités.

Un enfant né d'une prétendue vierge, emmailloté puis, déposé dans une mangeoire d'animaux. Un bœuf et un âne en guise de chaufferette. Joseph, le vaillant protecteur, des anges formant un chœur, des mages venus de trop loin, quelques bergers contemplant celui que l'on appelait déjà le Messie, sauveur du monde. Pauvre Jésus, tout un programme de vie. Décrit dans le dictionnaire comme étant le fondateur de la religion chrétienne, il mourut bel et bien crucifié. Fin du récit. Vraiment?

J'ai appris l'histoire du Christ sur les bancs d'école, comme la majorité des gens de mon âge. Parlant aux foules en paraboles, il parcourait son pays, marchait sur l'eau, multipliait les pains et guérissait les malades, un vrai super-héros! J'ai lu le Nouveau Testament comme on dévore un roman. Quand on a onze ans, tout ne semble-t-il pas possible? J'imaginais le lac devenir un miroir pendant que Jésus s'y glissait gracieusement. D'autres fois, j'imaginais toucher son manteau et je guérissais instantanément. Quant à Marie-Madeleine, qui lui essuyait les pieds avec ses cheveux, je trouvais cela plutôt bizarre.

Qui était donc ce mystérieux personnage? Un prophète, un thaumaturge, un mordu de l'amour inconditionnel. Il croyait au pardon ainsi qu'à la dignité de chaque être humain. Ses enseignements inédits ont déstabilisé les autorités. Cependant, le peuple y a cru. Incapable de renoncer à ses convictions et mêlé à une irréductible controverse, Jésus a joué le tout pour le tout et il l'a payé très cher. Sa mère l'a sûrement supplié de se calmer le pompon. À quoi il a peut-être répondu : « *Vivre, c'est aller au bout de soi-même.* » Quel rêveur tout de même!

Visualiser un lendemain heureux, espérer un avenir meilleur, croire au miracle : voilà ma définition de Noël. L'argent dépensé en cadeaux et en festivités, n'est-ce pas un désir d'améliorer notre sort? Beaucoup considèrent les biens matériels comme étant *la* solution. Et si cette quête commençait à l'intérieur de nous? L'histoire de Jésus nous démontre que nos rêves peuvent changer la face de la terre. Quels sont les miens? Chaque action que je fais pour les réaliser laisse une marque lumineuse dans l'Univers. Je n'en connais pas la portée, mais je suis du même avis que le célèbre auteur Wayne Dyers : « *Les rêveurs sont les sauveurs de ce monde.* »

Chaud ou froid

Le politiquement correct m'empêche-t-il d'assumer mes valeurs ainsi que mes ambitions? Il m'est impossible de plaire à tous. Je renonce donc à la tiédeur et à ma peur de causer des remous. Je prends ma place, je m'enflamme, je fais preuve de passion pour jouir d'une existence sans regrets.

43

Semer des graines 1

Par Julie

Après un premier congé de maternité, je reprenais le travail dans un nouveau domaine : la santé mentale. Durant mes études universitaires, l'une de mes amies rêvait d'exercer l'ergothérapie dans le domaine de la psychiatrie. En mon for intérieur, je me disais : « Travailler avec des fous! Non merci, pas pour moi. » Des années plus tard, j'ai découvert un monde fascinant auquel je pourrais contribuer à ma manière. Et un homme *fou* allait me prouver que dans la vie, tout est possible.

J'écoutais notre conférencier parler de sa maladie : *la schizophrénie*. Les schizophrènes font des psychoses, dit-on. Même à trente ans et diplômée en sciences de la santé, ce terme était complètement nouveau pour moi. Une timide consolation : je n'étais certainement pas la seule novice en la matière. Encore aujourd'hui, la maladie mentale demeure un sujet tabou. Combien de fois entendons-nous des phrases telles que : « Il n'est pas déprimé, il veut juste un congé de maladie » ou encore « Il est stressé et il travaille trop. Qu'il lâche donc la boisson et les femmes. » Ce matin-là, Luc n'a pas seulement démystifié une maladie mentale, il a semé une graine en moi.

Faire une psychose signifie perdre le contact avec la réalité. Lorsqu'ils sont en crise, les schizophrènes ont des idées complètement farfelues en plus d'être en proie à la paranoïa. Par exemple, ils s'imaginent que des espions menaçants les poursuivent pour les tuer. Ces hallucinations causent d'intenses angoisses, même de la terreur, puisque pour eux, c'est bien réel. Luc nous expliquait comment il avait été condamné à la chaise berçante pour le reste de ses jours. Son quotidien se résumait alors à avaler des dizaines de comprimés et à se bercer pour passer le temps. À l'époque, la médecine ne pouvait rien pour lui. On avait établi un diagnostic très sévère à son endroit. Il serait interné ou il vivrait en résidence surveillée pour le restant de ses jours. Un schizophrène tel que Luc ne pouvait plus contribuer à la société. Est-ce vraiment le cas?

Heureusement, les connaissances concernant la maladie mentale ont évolué. Sans être parfaites, elles sont beaucoup plus respectueuses de l'être humain qu'elles ne l'étaient autrefois. Aidé du personnel soignant, Luc s'est peu à peu familiarisé avec sa maladie puis, il a graduellement rêvé d'une vie meilleure. Au bout de quelques années, bien soutenu par l'équipe médicale, ce malade a définitivement *vendu* sa chaise berçante et il s'est rebâti une vie dans la communauté. Que fait-il aujourd'hui?

Il siège sur de nombreux comités afin de protéger les droits des personnes atteintes de maladie mentale et il agit à titre d'intervenant auprès d'autres malades. Fidèle à sa mission d'améliorer les soins en psychiatrie, il multiplie les conférences. Son but : divulguer la meilleure façon de tendre la main à ces personnes. « Si cet homme atteint de schizophrénie peut relever de si grands défis, de quoi suis-je capable? » me suis-je alors demandé. Quelques semaines plus tard, je m'asseyais à ma table de travail et j'ébauchais le plan de mon premier roman. Six ans plus tard, nos chemins se sont recroisés et, à nouveau, cet homme m'a inspirée à voir grand.

Agent de rédemption

Quand une situation semble désespérée, je me rappelle mes expériences passées. Tant de fois j'ai fait preuve de résilience. Je demeure ferme dans mon option pour l'espoir et l'optimisme, cette situation se règlera d'elle-même. Je mets à profit tout ce que j'ai appris et j'aide les autres.

44

Semer des graines 2

PAR JULIE

En ouvrant un courriel, j'aperçois une invitation de mon ami Raymond. Il organise un événement culturel afin de démystifier la maladie mentale. Différents documentaires y seront présentés, dont l'un portant sur Luc. Une amicale convocation impossible à refuser. Après tout, n'allais-je pas revoir la personne qui, six ans auparavant, m'avait inspiré l'idée d'écrire mon premier roman? Dans *Chaise berçante à vendre*[3], l'homme raconte comment il s'est sorti de l'enfer de la schizophrénie. L'histoire touchante de son retour du pays des fous, comme il l'exprime si bien.

Luc utilise une analogie puissante pour commenter son rétablissement : les asperges. Il explique que trois longues années s'écoulent entre le jour où le cultivateur sème une graine de ce légume et le jour où celui-ci est prêt pour la récolte. Après la semence, sans que rien n'y paraisse, un travail important débute sous la terre. Il faut attendre la deuxième année pour voir les premières tiges pointer, et la troisième saison avant d'obtenir le produit final.

À l'époque, l'homme passait la majorité de son temps à se bercer. Des intervenants venaient le rencontrer de façon régulière et lui parlaient du projet de sa vie. Malgré ces efforts, le malade semblait tout à fait indifférent. Avec le temps, ces germes remplis d'espoir lui ont donné le goût de se prendre en main. Un pas à la fois, Luc s'est réinséré dans la société, pour ensuite réaliser pleinement le projet de vie qu'il s'était fixé.

En visionnant le court métrage, je réfléchissais: « Quel est le projet de *MA* vie? » Depuis des années, j'entends la même réponse : « Devenir auteure et faire entendre la cause des enfants dont un parent est atteint de maladie mentale. » Pour y parvenir, un travail intérieur s'avérait nécessaire. Mon esprit devait croire en cet appel à l'écriture. Il me fallait surtout être convaincue du message à livrer.

D'abord, j'ai éliminé les croyances limitatives qui me paralysaient : « Sans études littéraires, comment pourrais-tu devenir une auteure à succès? Tu as peut-être de bonnes idées, mais tu n'as pas le talent nécessaire pour devenir écrivaine! Bla-bla-bla... » Un long travail sous la terre qui semblait ne porter aucun fruit. Une fois cette germination mentale terminée, je me suis mise à l'écriture durant mes temps libres. Plus je me consacrais à mon projet, plus je prenais confiance. Une à une, mes craintes ont disparu. Six ans plus tard, mon premier roman était achevé. Mission accomplie?

J'entame la troisième saison, celle où il ne faut surtout pas abandonner : courtiser les maisons d'édition. Être patiente, continuer à croire malgré les refus essuyés, car il y en aura, c'est certain. Peut-être m'ouvrir à d'autres solutions? Quel défi! Mais à force de cultiver mon jardin, la récolte sera inévitablement au rendez-vous. Après tout, Luc n'a pas renoncé à sa chaise berçante du jour au lendemain. Par contre, une fois debout, il a su atteindre des sommets inimaginables. Sa lumière me fait croire en la mienne.

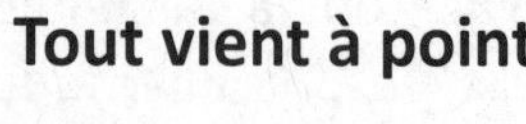

Tout vient à point

Rendre mes projets à terme me semble-t-il être une mission impossible? Ai-je parfois l'impression de jeter des coups d'épée dans l'eau? Je me recentre sur mes motivations profondes, ce pour quoi ces buts me tiennent tant à cœur. Je persévère, car le succès est peut-être déjà à ma porte.

45

Un nouveau message

Par Julie

Juin 2007. Mon âme me chuchota qu'il était peut-être temps de retourner consulter la voyante, madame C. Bien que notre dernière rencontre ait été bouleversante, n'avais-je pas fait depuis un grand bout de chemin? Grâce au message de cette voyante, je m'étais mise à l'écriture de façon sérieuse, j'accordais dorénavant plus d'importance à mes rêves et je prenais davantage de temps pour moi. Performer et gagner à tout prix ne m'intéressait plus. « Je me sens beaucoup mieux », me dis-je. « Pourquoi retournerais-je la voir? Ai-je réellement le goût de me faire *brasser* à nouveau? » Et si ma petite voix avait raison? J'ai donc pris rendez-vous.

« Tu es à un tournant de ton cheminement. Vivre selon tes anciens schèmes ne t'intéresse plus, ni ce personnage solide et structuré que tu as mis tant d'énergie à construire. Désormais, tu souhaites suivre la voie de ton cœur. Je vois de très belles choses qui t'attendent. Mais avant de prendre ton envol, tu devras t'enraciner, tel un chêne fort et vigoureux, aux racines profondément enfouies. Présentement, tu personnifies une tige verte avec quelques bourgeons. Je te préviens, la transformation prendra deux ou trois ans. » Aie! En sortant de ma consultation, je me suis écroulée sur un banc, encaissant le choc. Que voulait-elle dire par *s'enraciner?*

Moi qui croyais m'être trouvée. Se pouvait-il qu'autant de travail intérieur m'attende encore?

M'enraciner. Aujourd'hui, je comprends que, s'il est parfois difficile de trouver ce que notre cœur veut faire en ce monde, il est encore plus ardu de *croire* qu'on peut réaliser nos aspirations. J'avais mis des années à saisir que l'écriture s'avérait essentielle à mon bonheur. Mais, une fois passée à l'action, un nouveau défi surgissait : trouver la force d'en parler haut et fort. Je devais fracasser les croyances limitatives qui empêchaient la *jeune pousse* que j'étais de grandir : « Franchement, de quel droit prétends-tu pouvoir devenir auteure? Ce métier est réservé aux vrais artistes et aux bacheliers en littérature. » Le destin allait m'envoyer rapidement la première occasion de me dépasser.

À la suite d'une restructuration de l'entreprise pour laquelle je travaille, je me suis retrouvée membre d'une nouvelle équipe de vente. Afin de créer des liens entre nous, notre gérant proposa un tour de table où chacun devait révéler quelque chose d'inédit sur lui-même. Ma conscience m'ordonna de dire que j'écrivais un livre. Le cœur battant la chamade, la gorge serrée, j'ai articulé la phrase au moment venu. Victoire! J'avais triomphé de mes peurs, des pensées négatives qui me bâillonnaient. Le ridicule de mes angoisses devint évident : personne n'avait ri, plusieurs avaient même manifesté de la curiosité face à mon projet. Loin d'être gagnée, la bataille ne faisait que commencer.

Malgré le succès obtenu lors de ma réunion d'équipe, mes inquiétudes et mes pensées limitatives sont revenues en force. Elles ne cédaient pas aussi facilement. Développer ses racines demande du temps et de la *pratique*. J'ai donc continué de surmonter mes craintes en discutant de mon projet d'écriture avec mon entourage. Doucement, je gagnais en confiance et l'exercice me semblait presque *normal*. Mes peurs n'arrivaient plus à me faire flancher. Aujourd'hui, je ne suis pas encore ce grand chêne vigoureux et immuable que je voudrais être, mais je ne suis certainement plus ce jeune feuillu qu'on peut écraser facilement au passage. Rédiger cette histoire en est un autre exercice!

Se mouiller

Les scénarios d'échec que j'imagine dispersent mes chances de réussite. Pour avancer, un seul choix s'offre à moi : essayer! Par ce dépassement, je goûterai à une joie inégalée. Après un certain temps, je serai expert en la matière et je sourirai en pensant aux sueurs froides d'autrefois.

46

Imagine

PAR MARIE-JOSÉE

Tout en attendant une copine au resto, je saisis distraitement le journal. La première page me glaça : un homme avait mis fin à la vie de son fils de quatre ans ainsi qu'à la sienne. Ma poitrine s'est serrée en pensant à la scène puis, à la mère. Drame, tragédie, aucun mot ne peut décrire cet événement. Hors service pendant quelques minutes, je suis revenue à moi lorsque Katia a pris place sur la banquette. Je fis comme si je n'avais rien lu. Répandre une telle nouvelle ne m'intéressait pas. Je me suis dit que de toute façon, les journalistes allaient nous faire crouler sous une avalanche de spéculations.

Un peu plus tard dans la journée, j'appris qu'une amie, Sylvia, se retrouvait au cœur de l'affaire. L'homme dont il était question était son frère et le petit, son neveu. Un flot d'émotions me submergea aussitôt. Je me disais que cette pauvre femme vivait un véritable cauchemar. Des larmes roulaient sur mes joues et, en posant les yeux sur mon garçon, un frisson de douleur m'envahit. Une famille peut-elle survivre à un tel drame? C'est à moi que revenait la tâche de prévenir nos connaissances communes. Comment le dire dans la dignité et le respect? Les médias condamnaient allègrement le meurtrier, mais mon cœur ne ressentait pas les choses de cette façon.

Rapidement, je fis parvenir le courriel suivant : « En ces moments difficiles où nous assurons à Sylvia notre soutien, rappelons-nous la grandeur qui nous habite. Cette lumière en nous doit être plus forte que jamais. N'essayons pas d'expliquer. L'heure n'est pas au jugement, l'heure est au silence et le silence conduit au recueillement. Dans de telles circonstances, que pouvons-nous offrir de mieux qu'une prière? Soutenons cette famille, rentrons chez nous et continuons d'aimer puisque l'*amour* ne passera jamais. »

Le lendemain, Sylvia m'a téléphoné. « Ton texte m'a fait tellement de bien, Marie-Josée. Sais-tu ce qui est le plus difficile? D'entendre à la radio et à la télé qu'il était un monstre. Il n'était tellement pas ça! » s'exclama-t-elle entre deux sanglots. Je n'ai pas envie de juger cet homme. De toute évidence, il souffrait. Quelle affliction de l'être peut conduire à tant de désespoir? Et qui peut prétendre être à l'abri de poser un tel geste? Comment se fait-il que notre société dite *évoluée* soit la scène d'aberrations de la sorte? Il n'y a rien à comprendre.

Malgré ma peine, une mélodie s'est mise à jouer dans ma tête : *Imagine* de John Lennon. Je crois toujours en l'humanité ainsi qu'en sa capacité de choisir le bien. Ma foi peut vaciller par moments, mais je refuse d'être membre des *désillusionnés anonymes*, ceux pour qui le monde va de mal en pis, qui se plaignent sans cesse des injustices et des atrocités qui sont commises. Je suis certaine que nous pouvons transformer l'univers entier en alimentant la compassion plutôt que la haine. Non, je n'abdiquerai jamais.

Cap sur l'espoir

Devant une mauvaise nouvelle, je suis entièrement responsable de ma réaction. Suis-je prophète de malheur ou chercheur de lumière? Mon attitude influencera celle des autres. Je m'impose en messager optimiste et j'encourage la compassion, car mon entourage a avant tout besoin d'amour.

47

Quand tu seras grande

PAR JULIE

5 h 35. Les cris stridents de ma fille me tirent subitement de mon sommeil. « Un autre cauchemar? Non, mais, c'est encore la nuit! Quand vais-je pouvoir dormir un peu? » grommelai-je en mon for intérieur. Pour moi, novembre s'avère un mois plus difficile. La grisaille, le froid, l'horaire chargé au travail, tout cela gruge mon énergie et me rend plus irritable. Je n'ai qu'une seule envie : écouter des films toute la journée, confortablement installée dans mon lit. Malheureusement, impossible de donner suite à mon désir un mardi matin. Résignée, je me traîne jusqu'à la cuisine : un double expresso devrait m'aider.

Mon conjoint a déjà entamé la routine avec les enfants. Ma tasse de liquide chaud à la main, j'observe mon aînée. « Pourquoi ne portes-tu pas les belles chemises que je t'ai achetées? » Toute pimpante, elle me répond : « Pas aujourd'hui, maman, une autre fois, c'est promis! » En vérité, ses nouveaux vêtements dorment dans le placard depuis trois mois. Que d'ingratitude! Rien pour améliorer mon humeur déjà maussade. Et voilà que je flanche avec une phrase assassine : « Tu sais, il y a plein d'enfants qui n'ont rien à se mettre sur le dos. Devrais-je apporter tes chemises au comptoir familial? Quand tu seras grande, j'espère que tu comprendras à quel point tu es chanceuse. » Aussitôt, la demoiselle baisse les yeux et perd son beau sourire. Les nerfs à vif, je monte prendre une douche.

Grâce au jet d'eau chaude, je reprends graduellement mes esprits : « Respire, Julie, ce n'est pas la fin du monde si elle n'aime pas tes achats. Pourquoi t'es-tu mise si facilement en colère? Qu'est-ce qui ne va pas chez toi? » Engagée dans un travail sur moi depuis quelques années, je sais que certains constats sont peu flatteurs. Mais rien ne sert de les éviter. Pour m'en débarrasser, je dois leur faire face. En moins de deux, ma conscience m'indiqua avec certitude qui était la véritable ingrate. Et, bien sûr, elle me souffla un truc puissant pour renverser la vapeur.

Si la journée avait mal débuté, n'était-ce pas en raison de mon humeur exécrable? J'ai immédiatement voulu trouver des coupables : la nuit trop courte, le mois de novembre, ma fille. Centrée sur moi-même, je me suis laissée aspirer dans une spirale de pensées négatives. En sortir demandait de l'humilité ainsi que la capacité de remettre les choses en perspective. La joie de vivre de mes enfants, l'amour de mon mari, le fait d'être en santé, n'est-ce pas ça, le bonheur? En ouvrant les yeux, j'avais reçu le plus extraordinaire cadeau : une autre journée pour en profiter. Quand serais-je assez grande pour ne jamais rien tenir pour acquis?

Ma fille refuse de porter ses nouvelles chemises. Et puis après? Mais laisser la Vie passer sans que je morde dedans, quelle paresse de ma part! Les pensées que nous entretenons dès notre réveil donnent souvent le ton à notre journée. Excellente nouvelle, car nous détenons tout pouvoir sur elles. À nous de bien choisir et de conditionner notre esprit pour ne voir que le positif. Plus facile à dire qu'à faire, mais c'est tellement efficace. Désormais, dès que j'ouvre l'œil, j'essaie de me dire : « Wow! Quel beau cadeau! Dieu m'offre une autre superbe journée. » Au même moment, je visualise un énorme présent que je déballe avec enthousiasme. En plus de me faire sourire, cela me rappelle qu'il me faut agir en *grande*.

Gagner en maturité

Si je regrette certaines paroles ou certains gestes, je n'hésite pas à me questionner. « De quelle façon ai-je envenimé les choses? » « Comment aurais-je pu agir différemment? » « Quel truc vais-je développer quand je sentirai la vapeur monter? » Je franchis une nouvelle étape dans la maîtrise de mes émotions.

48

Mon leitmotiv

PAR MARIE-JOSÉE

Je suis rivée à l'écran, la gorge serrée, les larmes aux yeux. Comment pourrais-je oublier ce passage du film *Coach Carter*[4]? Certes, l'histoire est inspirante : mis au pied du mur par leur entraîneur de basketball, de jeunes rebelles comprennent qu'ils ont le plein pouvoir sur leur destinée. Cette séquence où l'un d'eux cite Marianne Williamson, je l'ai visionnée à répétition afin de noter le texte. Ce jour-là, j'ai eu l'impression que l'Éternité s'adressait directement à mon âme.

« *Notre peur la plus profonde est d'avoir un pouvoir extrêmement puissant.* » Frappé de plein fouet, mon cœur connaissait la signification de cette phrase. À trente-deux ans, j'errais d'un travail à l'autre, cherchant toujours quoi faire de mon avenir. L'ignorais-je vraiment ou refusais-je de l'admettre? Adolescente, je rêvais d'ouvrir un centre où les gens trouveraient un bien-être physique, moral et spirituel. Projet démesuré et trop utopique pour y prêter attention. En muselant ainsi mon intuition, aurais-je mis en veilleuse mon pouvoir personnel?

À défaut de trouver ma voie, je me suis fait une obligation de performer. Marie-Josée devait avoir l'air heureuse. Je semblais toujours à ma place que ce soit au sein d'une communauté religieuse, en relations publiques, en finances. Beaucoup plus simple de suivre une doctrine, un mode d'emploi plutôt que de s'interroger sur ses véritables désirs. J'ai développé une expertise en *détours* afin d'éviter de voir ma grandeur et ma puissance. Occulter ma propre valeur m'a amenée à survivre plutôt qu'à vivre à plein. Non, comme l'écrit Marianne Williamson, « *ce n'est pas une attitude éclairée que de se faire plus petit que l'on est.* »

« *Si nous laissons notre lumière briller ...*» Ce fut d'abord une décision, qui s'est ensuite traduite par des actions. La plus inusitée fut certainement la naissance de notre blogue. Le concept d'un site Web consacré au bonheur en a fait sourire plusieurs! Julie et moi l'avons créé par besoin de laisser jaillir le trésor en nous. Plonger dans ce qui nous allume, avoir du plaisir et nous sentir vivantes. Mais, écrire à chaque semaine, c'est tout un engagement. Foi et persévérance ont ponctué notre route. Quand le découragement envahissait l'une, l'autre devenait *Coach Carter*.

Deux années ont passé, et déjà un second anniversaire à célébrer. Sommes-nous à court d'inspiration? Au contraire, nous débordons d'idées. Grâce aux nombreux témoignages que nous avons reçus, douter s'avère impossible. Ma vision s'est éclaircie au point de savoir à quoi je veux me consacrer : éveiller les gens à leur propre lumière. Un pas à la fois, la confiance prend davantage de place que la crainte. Je crois en mon potentiel ainsi qu'en ma capacité de le déployer. Et quand il m'arrive de broyer du noir, je me remémore immédiatement ce texte :

« *Notre peur la plus profonde n'est pas d'être inapte. Notre peur la plus profonde est d'avoir un pouvoir extrêmement puissant. C'est notre propre lumière et non notre noirceur qui nous effraie le plus. Nous déprécier ne servira jamais le monde et ce n'est pas une attitude éclairée de se faire plus petit que l'on est en espérant rassurer les gens qui nous entourent. Nous sommes tous conçus pour briller comme les enfants. Cette gloire n'est pas dans quelques-uns seulement; elle est en chacun de nous. Et si nous laissons notre lumière briller, nous donnons inconsciemment aux autres la permission que leur lumière brille. Si nous sommes libérés de notre propre peur, notre présence suffit alors à libérer les autres.* » Marianne Williamson

Le point de non-retour

Je fais face à ma grandeur et à ma puissance. Au plus profond de moi-même, je suis conscient de mon inestimable valeur. J'accepte mes talents et mes aptitudes et je fais fructifier mon potentiel pour le bien de l'humanité. Les doutes n'ont plus leur place dans mon esprit, je sais ce que je dois faire.

49

T'as l'air bien!

Par Julie

Tout en regardant par le hublot, je constate à quel point le temps passe vite. Le vrombissement de l'avion qui touche le sol signe la fin de notre aventure américaine. Après une absence de sept mois, je reverrai enfin mes copines, mes collègues et mes clients. Exaltation et mélancolie se bousculent en moi. La vie sera-t-elle la même qu'avant? Les bienfaits de notre escapade s'évanouiront-ils dès le retour de la routine? Aurai-je le temps de poursuivre le cheminement intérieur entamé lors de ce séjour?

J'ai des amies en or. Quatre jours après mon arrivée, je suis invitée à un cinq à sept en mon honneur. Katia n'a oublié personne : collègues de travail, voisines, mamans de la garderie et camarades de longue date sont au rendez-vous. Je prends des nouvelles de chacune et, tandis que je déguste chaque seconde, un phénomène attire mon attention. Sans se consulter, au moins quatre convives s'exclament : « T'as l'air bien! » Pure coïncidence?

Un mois plus tard, je suis de retour au boulot. Pas d'anxiété, pas de pincement au cœur, juste le plaisir de renouer avec quelques-uns de mes anciens clients. À la fin d'un dîner d'affaires, mon interlocuteur m'observe tout en déclarant : « T'as l'air bien! » Surprise, mais ravie de ce compliment, je le remercie d'un sourire. Plus tard dans l'après-midi, une infirmière me sert à nouveau le même commentaire. Je comprends alors que cet enchaînement de remarques n'est pas le fruit du hasard.

Ai-je changé physiquement? Certes, le repos avait atténué les cernes sous mes yeux, mais rien qui puisse se comparer à une métamorphose. Que percevaient donc les gens chez moi? L'être humain constitue l'un des plus puissants composés émetteur-récepteur qui soit. Notre état intérieur influence notre posture, notre façon de sourire, l'éclat dans nos yeux, le ton de notre voix, etc. À chaque seconde, notre subconscient capte des milliers d'informations provenant de ce qui nous entoure. Ces données s'organisent et envoient des impressions à notre mental. «T'as l'air bien » témoignait surtout de ma nouvelle joie intérieure. En d'autres mots, je suis plus en harmonie avec moi-même et j'en connais les raisons.

Auparavant, je livrais une bataille infernale à certaines angoisses, surtout celles touchant mon rêve d'écrire. Je me dénigrais en pensant que les lecteurs allaient trouver mon histoire moche, superficielle. Je croyais que j'allais faire rire de moi. Lutter pour faire taire ces pensées ne faisait que leur donner de l'importance. J'étais donc souvent habitée d'une énergie de frustration et de lourdeur. Maintenant, lorsque mes peurs se pointent, je les laisse passer. Pourquoi croire aux histoires qu'elles me racontent? Ma non-résistance leur enlève tout pouvoir et elles disparaissent dans le néant. Une légèreté intérieure, voilà ce que j'ai retrouvé pendant mon exil. N'est-ce pas ce que tous ces « t'as l'air bien » signifiaient?

Boucler la boucle

Mon sentiment que je suis rendu à une autre étape est justifié. Je suis à l'aube d'une nouvelle saison, très prometteuse. J'avance librement et veille à poser des actions qui me rapprochent de mes rêves. J'aurai bientôt une confirmation claire que j'ai pris la bonne direction.

50

Désirs en liberté

Par Marie-Josée

« Faites une liste de cinq rêves, buts et objectifs que vous souhaitez réaliser au cours de la prochaine année. » Je soumets cette proposition à toutes les nouvelles conseillères de mon équipe de ventes. L'exercice s'avère laborieux et les réponses ne viennent pas spontanément. Refaire ma propre liste de temps à autre constitue toujours un défi personnel. Mon esprit n'a pas l'habitude de rêver. Pourtant, il sait calculer, organiser et prévoir. Mais se perdre dans la rêverie? Plutôt difficile.

Notre monde, axé sur la production, donne souvent l'impression qu'un rêve doit obligatoirement être réalisable. En quête de projets réalistes, je filtre mes désirs afin de rejeter ceux que je considère comme utopiques. Pour y croire, ils doivent d'abord passer le test de ma structure mentale. Gare à eux s'ils se coincent entre deux raisonnements de mon intellect. Inconsciemment, je verrouille ainsi l'accès à certaines grandes aspirations en moi. Pour quelle raison? Parce que ma tête affirme que ce n'est pas raisonnable.

Par exemple, je rêve de travailler vingt heures par semaine tout en bénéficiant d'un revenu annuel de cinq cents mille dollars. Ma raison rétorque qu'il faut travailler fort pour faire autant d'argent. Instantanément, je mets ce projet au rancart tout en me trouvant ridicule. Et si je caresse l'idée que notre livre se vende à des milliers d'exemplaires, je rougis. « Seule une personnalité connue peut aspirer à un tel nombre. Sois réaliste! » Ah oui, c'est vrai, j'avais oublié...

L'an dernier, j'ai décidé de libérer toutes les ambitions dissimulées dans les recoins de mon âme. Je me suis munie d'un carnet afin d'y inscrire ce que je souhaite accomplir et devenir. Je m'imagine ne travaillant que quelques heures par semaine pour un énorme salaire. Les yeux clos, je ressens l'émotion associée à une existence calme, facile, dépourvue d'invasion de stress. Je pousse même l'audace jusqu'à considérer chaque jour comme une fête.

Mes rêves sont la prophétie de ce que je promets de devenir. En brisant le cadenas qui les retient, ils prennent leur envol vers une possible concrétisation. Ils constituent une énergie pure, capable de m'enivrer de leur puissance. À quoi bon les repousser? Pourquoi ne pas laisser leur message monter à mes oreilles? Un simple risque: que d'improbables, ils deviennent inévitables!

Sans limites

L'imagination est une terre fertile et sans frontières. Mes désirs profonds ont la possibilité d'y croître librement, à l'abri du jugement d'autrui. Je passe du temps dans cette contrée fantaisiste et je définis ce que serait ma vie de rêve. Plus mon esprit vagabondera en ce lieu, plus j'attirerai l'objet de mes souhaits.

51

À quoi ça sert?

PAR JULIE

Je suis une fille optimiste, positive, qui croit que le bonheur est possible. Toutefois, il m'arrive de succomber au découragement. Celui-ci, m'agrippe alors de ses ventouses et m'emporte dans les abysses de la déprime. Heureusement, d'ordinaire, c'est de courte durée. Reste que chez moi, l'accablement s'annonce toujours de la même manière. Je deviens confuse, mon cerveau s'embrouille et toute ma vie se résume en une question : « À quoi ça sert? »

Certains phénomènes de l'actualité me prennent par surprise et me propulsent dans le gouffre. Récemment, les chaînes de nouvelles populaires nous dévoilaient le nom de maires frauduleux abusant de leurs pouvoirs afin de se remplir les poches. Non mais, *à quoi ça sert* de travailler, de payer des impôts et des taxes, de suivre les règles par souci d'intégrité quand nos élus nous rient en pleine visage? Quelqu'un peut-il m'expliquer?

Un autre bon exemple : en plein vol vers le sud, je zappe sur les canaux de la télé qui est fixée dans le dossier devant moi. Sur une chaîne américaine, l'émission *E!* fait la promotion de sa nouvelle émission de téléréalité : *Bridal Plasty*. Attachez vos tuques! Dix futures mariées se font compétition lors de différents défis. Le prix à gagner : la chirurgie esthétique de leur choix. Pour être la plus belle, aucune partie de leur corps n'est négligée : seins, menton, yeux, nez, pommettes, fesses, abdomen, cuisses, alouette! Une véritable charcuterie humaine! Alors, *à quoi ça sert* de prêcher la beauté naturelle, le bien-être intérieur et l'estime de soi? Par moments, je ne sais plus.

Lors d'un souper assez arrosé, je déverse malencontreusement sur mon conjoint mon trop-plein de désillusions. Celui-ci écoute patiemment jusqu'à ce que je lui serve l'argument suivant : « Je te le dis! Si notre blogue racontait des histoires de sexe et d'argent, nous aurions 30 000 abonnés. À quoi bon tous nos efforts? Rien ne changera jamais! » Sa réplique ne se fit pas attendre : « Paresseuse! Tu vas continuer de travailler. Tu arrêteras quand tu auras semé tout le positif dont tu auras été capable. » Bingo! Il m'avait atteint en plein cœur.

Je suis forcée d'admettre que l'élu de mon cœur avait raison. Pas question de me laisser écraser par l'inconscience sociale. En vérité, notre planète recèle autant, sinon plus, de merveilleux que d'absurde. Malheureusement, les médias populaires véhiculent rarement cette idée. Avec Marie-Josée, nous persévérons et donnons vie à une idée mise en suspens : LCBN[5]. *Le **C**anal **B**onnes **N**ouvelles*. Sur notre site, *En Amour Avec La Vie*, nous proposons un amalgame de vidéos positives, inspirantes, touchantes. Bref, de courts métrages nous rappelant *à quoi ça sert* de donner le meilleur de soi, de tenir à ses valeurs et d'oser promouvoir le positif!

Se retrousser les manches

Ce désir de concrétiser mes aspirations profondes n'est-il pas plus fort que tout? Abandonner n'est donc pas envisageable. Je m'applaudis pour tout ce que j'ai déjà accompli! Et je me remets au travail sans tarder, car la providence se manifestera tôt au tard.

52

Aller au bout de soi-même

Par Julie

J'aime les citations. En quelques mots, elles nous révèlent une parcelle de sagesse. En voici une de Henry Ford que j'affectionne particulièrement : *Il y a des gens qui disent qu'ils peuvent et d'autres qui disent qu'ils ne peuvent pas. En général, ils ont tous raison.* Ce grand homme savait que la foi en notre capacité d'atteindre un but est le gage principal de notre réussite. Reste que la route vers la réalisation d'un rêve peut parfois être longue et ardue. Où peut-on puiser l'énergie qui nous empêchera d'abandonner en cours de route? Existe-t-il une source de motivation qui garantisse que l'on puisse aller au bout de soi-même?

L'appât du gain. Faire beaucoup d'argent, énormément d'argent. En avoir tellement que l'on puisse combler la moindre de nos envies. Certains carburent à l'idée qu'avec une plus grande maison, une auto de grande valeur, un chalet, cinq voyages par année, ils seront plus heureux. Quel mal y a-t-il à souhaiter tout ce luxe? Aucun, bien sûr. Mais une personne qui exerce une profession uniquement pour en retirer une compensation financière peut-elle s'épanouir? Ne risque-t-elle pas de tomber en panne d'énergie et de vitalité? Jusqu'où le fait de savourer les biens qu'elle se procure pourra-t-il la combler?

La reconnaissance. Quoi de plus gratifiant que d'être remarqué pour ses accomplissements! Quand le but tant souhaité est enfin atteint, les gens autour de nous sont témoins de notre labeur. Pour un instant, nous suscitons éloges et enthousiasme! Parfois, nous méritons même une promotion ou encore un boni. Merveilleux, fantastique, dithyrambique! Mais qu'arrive-t-il quand nous acceptons l'idée que notre valeur repose principalement sur nos réalisations? Quel sera notre état intérieur, une fois la poussière retombée? Surtout lorsque tous retourneront à leur routine en oubliant peu à peu notre performance? Obtenir un prix est-il garant d'un bonheur durable? Faudra-t-il recommencer sans cesse afin de maintenir une haute estime de soi?

Être unique, s'avérer spécial, se donner une mission qui nous vaudra l'admiration ou l'intérêt des foules. Quoi de plus agréable que de susciter la curiosité par le biais de notre charisme? Paraître dans les journaux ou à la télé constitue certainement une expérience exaltante. Avoir son moment de gloire sur *YouTube* ou via Internet procure une sensation enivrante. Lorsque toutes les têtes se retournent sur notre passage, que les yeux s'illuminent lorsque l'on prononce quelques mots, il n'en faut pas davantage pour nous prouver que nous sommes *quelqu'un*. Par contre, comment affronter la solitude du quotidien sans le regard d'autrui pour nous faire vibrer? Que faudra-t-il encore déployer comme charme pour maintenir notre réputation?

Toutes ces sources de motivation sont nobles et valables. En regardant la vidéo de Dick et Rick Hoyt[6], j'ai réalisé que les êtres d'exception, les vrais leaders de ce monde s'appuient toujours sur la même énergie : l'*AMOUR*. Pour réussir un *Ironman*, un participant doit d'abord nager 3,8 km, pédaler ensuite 180 km, et finalement courir 42,2 km. Rares sont ceux qui terminent cette épreuve. Imaginez l'effort surréel déployé par Dick, cet homme dans la cinquantaine qui complète le trajet en poussant et traînant son fils adulte Rick, atteint de paralysie cérébrale! Quand un être humain ainsi propulsé par le don de soi, décide de réaliser un objectif, rien ni personne ne peut l'en empêcher. Cette puissance lui permet non seulement de soulever des montagnes, mais d'inciter les autres à faire de même. J'ignore si, un jour, je serai capable d'un tel dépassement, mais Dick et Rick Hoyt m'ont persuadée à tout jamais que l'*amour* doit être le moteur de ma vie!

L'amour parfait

Au soir de ma vie, quand les feux de la rampe s'éteindront, que me restera-t-il? La pureté de mes gestes gratuits, la candeur du don de moi-même, le son de mon rire ainsi que ma joie semée ici et là. Mon cœur d'enfant sait ce qu'il faut faire pour aimer, je le laisse s'éclater!

LES BOLS DE POPCORN ONT TOUS ÉTÉ DÉGUSTÉS!

Vous en voulez encore?

Vous en aurez!

Suivez l'évolution d'un tome 2 qui paraîtra à l'automne 2012.

www.en-amour-avec-la-vie.com

www.performance-edition.com

Visitez-nous sur ***www.en-amour-avec-la-vie.com*** et

découvrez textes, citations, affirmations

et vidéos capables de vous inspirer au quotidien.

En vous abonnant à notre blogue, vous recevrez des histoires, des extraits de livre ou encore des capsules de réflexion. L'abonnement est gratuit et sécuritaire!

Surtout profitez de cet espace Web pour venir partager vos impressions et ajouter ainsi votre *"grain de popcorn"* ...

Au plaisir,

Julie et Marie-Josée

---

[1] http://www.cnn.com/SPECIALS/cnn.heroes/archive09/andrea.ivory.html
[2] http://www.cnn.com/SPECIALS/cnn.heroes/archive09/brad.blauser.html
[3] http://www.communicationdecary.com/chaisebercanteavendre.html
[4] http://youtu.be/D-STD8-RS2k
[5] www.en-amour-avec-la-vie.com/lcbn/
[6] http://youtu.be/Ryj3gBptkuc

LECTURES DE CROISSANCE PERSONNELLE

Vivre libre, sans peur! Le secret de Ben (roman d'inspiration) *Mark Matteson*

Vivre libre, sans peur, pour toujours! Le cadeau de mariage (roman d'inspiration) *Mark Matteson*

Votre plus grand pouvoir, *J. Martin Kohe*

La carte routière de VOTRE succès ! *John C. Maxwell*

Le pouvoir des mots, *Yvonne Oswald*

Droit au but, *George Zalucki*

Réussir avec les autres, des relations humaines harmonieuses, *Cavett Robert*

Les lois du succès, *Napoleon Hill (17 leçons en 4 tomes)*

La gratitude et VOS buts... pour créer la vie dont VOUS rêvez! *Stacey Grewal*

Journal quotidien de gratitude, *Stacey Grewal*

Le coach, histoire personnelle de dépassement de soi et enseignement de moyens pour se prendre en main, *Luc Courtemanche*

De l'or en barre, 52 lingots d'inspiration personnelle, *Napoleon Hill et Judith Williamson*

Nos pensées, leur impact sur notre vie, *Agathe Raymond*

Doublez vos contacts, *Michael J. Durkin*

Prospectez avec Posture et Confiance, *Bob Burg*

Agenda annuel, *Performance Édition*

Dans la collection **EXPÉRIENCE DE VIE :**

- Drogué... sans l'avoir demandé! *Suzanne Carpentier*
- Briser le silence pour enfin sortir de l'ombre, *Josée Amesse*
- Se choisir, un rendez-vous avec soi-même pour voyager léger, *Robert Savoie*

PERFORMAX
Infolettre gratuite bi-mensuelle pour obtenir de l'inspiration, trouver des nouvelles idées et développer votre potentiel

LES LOIS DU SUCCÈS
TOME 1

PLUS DE MILLE PAGES DE DYNAMITE MENTALE!
17 leçons en 4 tomes

Le plus grand classique de tous les temps revisité pour chaque personne ayant à cœur de réussir ***SA*** *vie et réussir* ***DANS*** *la vie!*

C'est en 1908 que Napoleon Hill a été approché par Andrew Carnegie qui, à la suite d'une entrevue pour écrire un article pour un magazine, lui a offert de lui faire rencontrer les hommes les plus puissants de l'époque dans le but de découvrir les secrets de leurs succès. Ainsi, cette philosophie pourrait être utilisée par tous ceux qui voulaient s'aider à créer leur propre réussite et réaliser leurs rêves.

En 1927, le mentor maintenant de tant de grands hommes d'affaires, a finalement rassemblé tout ce qui allait devenir la toute première édition du livre qui s'est vendu à des millions d'exemplaires, en de nombreuses langues, à l'échelle mondiale *Les Lois du Succès*. Il a eu comme amis des noms aussi prestigieux que Andrew Carnegie, Henry Ford, Thomas A. Edison, Alexander Graham Bell, John D. Rockefeller, William Wrigley et bien d'autres, toutes des personnes parmi les plus prestigieuses de cette époque. C'est en interviewant des centaines de personnes ayant réussi qu'il a colligé toutes les réponses afin de les offrir à ceux qui veulent prendre le même chemin. Napoleon Hill a aussi été conseiller auprès de deux Présidents des États-Unis soit Woodrow Wilson et Franklin D. Roosevelt.

LES 4 LEÇONS DU TOME 1 SONT :

- Le génie organisateur
- Un but clairement défini
- La confiance en soi
- L'habitude de l'épargne

C'est en 1908 que Napoleon Hill a été approché par Andrew Carnegie. À la suite d'une entrevue dans le but d'écrire un article pour un magazine, M. Carnegie a offert à M. Hill de lui faire rencontrer les hommes les plus puissants de l'époque, et cela, dans le but de découvrir les secrets de leur succès. Une fois cette philosophie décrite bien clairement, elle pourrait être utilisée par tous ceux qui voulaient s'aider à créer leur propre réussite et réaliser leurs rêves.

En 1927, Napoleon Hill a finalement rassemblé tout ce qui allait devenir la toute première édition du livre Les Lois du Succès qui s'est vendu à des millions d'exemplaires, en de nombreuses langues, à l'échelle mondiale. Il a eu des amis aussi prestigieux que Andrew Carnegie, Henry Ford, Thomas A. Edison, Alexander Graham Bell, John D. Rockefeller, William Wrigley et d'autres, toutes des personnes parmi les plus prestigieuses de cette époque et qui sont restés des modèles pour notre époque. C'est en interviewant des centaines de personnes ayant réussi qu'il a colligé toutes les réponses afin de les offrir à ceux qui veulent prendre le même chemin.

ISBN 978-2-923746-65-4

www.performance-edition.com

LA GRATITUDE ET *VOS* BUTS

STACEY GREWAL

La gratitude et VOS buts... pour créer la vie dont VOUS rêvez! est l'outil de développement personnel et professionnel le plus concis qui soit. Il prône la gratitude au quotidien, la réalisation des buts et l'épanouissement personnel. En plus de vous proposer des instructions détaillées, des stratégies dynamiques, des exemples et des exercices rapides, ce livre vous sert de guide spirituel et de mentor personnel. Il saura également vous apprendre à :

- prendre votre vie en main sur tous les plans;
- jouir de la richesse, de la santé et du bonheur que vous désirez et méritez;
- utiliser la gratitude pour guérir les blessures du passé et profiter pleinement du présent;
- découvrir vos buts dans la vie, identifier et tirer parti de vos talents uniques;
- lâcher prise et trouver des solutions à vos problèmes, en peu de temps;
- vous fixer et atteindre des buts intéressants chaque jour, ou encore à court et à long terme;
- cultiver de nouvelles habitudes qui vous aideront toute votre vie à avoir confiance en vous;
- vaincre les obstacles liés au temps, à l'argent, lieu de résidence ou à votre expérience;
- surmonter les émotions négatives en les remplaçant par des pensées et des actions positives;
- bannir l'expression « je n'ai pas le temps » de votre vocabulaire, atteindre vos buts et mener à bien vos tâches sans être pressé par le temps;

Modèle de journal quotidien de gratitude inclus.

ISBN 978-2-923746-53-1

JOURNAL QUOTIDIEN DE GRATITUDE

Après avoir lu le livre ***La Gratitude et vos buts*** dont le sujet est si brillamment traité, vous voudrez sûrement poursuivre son enseignement. Voici LE journal qui vous servira de guide spirituel et de mentor personnel. Commencez sans délai. Il a été prouvé qu'il ne faut que vingt et un jours pour développer une nouvelle habitude. Il vous permettra de faire un voyage très enrichissant au cœur de votre croissance personnelle dans toutes les sphères de votre vie.

Entre autres choses, vous y apprendrez comment :

♥ rédiger un énoncé de vision;
♥ fixer vos buts à court et à long terme et réaliser vos rêves;
♥ vaincre les obstacles liés au temps et à l'argent;
♥ surmonter les émotions négatives.

Vous découvrirez en tenant votre journal quotidiennement qu'il est facile de réussir sa vie. Il suffit de prendre une toute petite décision et de débuter l'écriture de votre journal personnel, et ce, guidé par une auteure qui sait de quoi elle parle.

Stacey Grewal demeure à Toronto, Ontario, au Canada, avec son mari et ses deux fils. Elle détient un baccalauréat de la *Wilfrid Laurier University* de Waterloo, au Canada. Stacey est également la fondatrice du Personal *Development Book Club of America* ainsi que du *Personal Development Book Club of Canada.*

ISBN 978-2-923746-61-6

www.performance-edition.com

VIVRE LIBRE, SANS PEUR ! Le secret de Ben

MARK MATTESON

Ces deux livres sont tout simplement remplis de bonnes idées pour lutter contre la peur et enrichir notre vie. Ce sont des romans d'inspiration. C'est la découverte de vérités simples qui mènent à la richesse, à la joie et à la paix d'esprit.

Un accident d'auto à l'heure de pointe lors d'une chaude journée d'été n'est habituellement pas une expérience positive. Mais, lorsque David, déprimé et misérable, rencontre Ben suite à un accident de voitures plutôt désagréable, la toile de fond se prête bien pour raconter une expérience de vie riche et puissante. Involontairement, David se place entre les mains d'un maître motivateur et d'un ajusteur d'attitude. Au fur et à mesure que David commence à améliorer sa vision des choses et, par le fait même, sa vie, il découvre la multitude de moyens que Ben a utilisés pour aider un nombre incalculable de personnes.

Mettre en pratique les multiples enseignements que Ben prodigue si généreusement, aide à libérer de toute forme de peur et d'être en paix avec sa vie personnelle, professionnelle et spirituelle.

ISBN 978-2-923746-44-9

VIVRE LIBRE, SANS PEUR, POUR TOUJOURS ! Le cadeau de mariage

La vie n'est pas juste. Pourquoi de mauvaises choses arrivent-elles à de bonnes personnes? Pourquoi de bonnes choses arrivent-elles à de mauvaises personnes? Chacun de nous, à différents moments de notre vie avons besoin d'un coach ou d'un mentor. C'est ce que Ben était. Si vous êtes prêt et désireux d'apprendre, il vous enseignera et vous inspirera à retirer le maximum du reste de votre vie sur terre.

MARK MATTESON est conférencier, auteur et consultant à l'échelle internationale. Il est qualifié de raconteur d'histoires particulièrement doué, d'élève de la rue, de reporter d'idées et de conférencier humoriste. Il est auteur et conférencier. Mark Matteson inspire les gens, les organisations et les associations à fixer leurs buts de performance personnelle et professionnelle à un niveau plus élevé et à les atteindre.

ISBN 978-2-923746-13-05

SE CHOISIR

un rendez-vous avec soi-même pour voyager léger

À la suite du meurtre gratuit de son père, Robert s'est englouti dans la violence. Son désir le plus profond était de tuer les assassins et, ensuite, de s'enlever la vie. À la suite d'une thérapie, il a réalisé que la seule façon de s'en sortir sain d'esprit était *le pardon*.

Ce livre procure au lecteur des moyens concrets pour réaliser qu'il est une personne unique et importante sur terre et qu'il mérite de *SE CHOISIR*.

Chaque chapitre de ce livre vous stimulera à écrire un nouveau chapitre de votre vie personnelle, et ce, en allant à la rencontre de la personne la plus importante de votre vie... *VOUS-MÊME!*

ROBERT SAVOIE, de Gatineau, a à son actif plus de 900 conférences. Il est une inspiration pour des milliers de personnes qui ont suivi ses ateliers. Il est le fondateur du Centre de Ressourcement Robert Savoie où il a aidé des milliers de personne à prendre leur vie en main.

ISBN 978-2-923746-68-5

www.performance-edition.com

VOTRE PLUS GRAND POUVOIR

J. MARTIN KOHE

Un classique d'inspiration qui crée un changement dynamique dans notre vie dès la toute première journée. Impossible de rester inchangé après cette lecture vivifiante. Un petit livre.... un GRAND message!

Cette lecture aide à jouir d'un plus grand bonheur, à renforcer sa personnalité et à maîtriser les conditions de notre vie. Plusieurs personnes n'arrivent pas à réussir, et cela, même dans des périodes favorables, parce qu'elles n'utilisent pas leur plus grand pouvoir... **LE POUVOIR DE CHOISIR!**

D'autres personnes utiliseront ce grand pouvoir... **leur pouvoir de choisir...** et elles réussiront, même dans des temps difficiles, parce qu'elles refusent de laisser l'adversité les arrêter, elles persistent jusqu'à la réussite.

ISBN 978-2-923746-12-8

....

LE COACH

L'unique clé du succès
LUC COURTEMANCHE

Si vous avez lu divers ouvrages sur la loi de l'attraction et que vos rêves ne semblent pas se réaliser, donnez-vous une dernière chance et découvrez pourquoi.

Le Coach permet d'apprendre, et surtout de comprendre, pourquoi certains événements désagréables reviennent constamment sur notre chemin. Il nous dévoile quelques exemples pour faire la lumière sur les blessures et les barrières psychologiques non conscientes de notre personnalité qui souvent nous empêchent de poser les actions nécessaires afin d'obtenir l'abondance dans tous les domaines de notre vie. Il est possible de surmonter tous les obstacles, peu importe l'ampleur de votre échec.

Après avoir lu *Le Coach*, vous serez inspiré par la persévérance, le courage, la transparence et la pensée positive du personnage.

ISBN 978-2-923746-33-3

AGENDA ANNUEL

Beaucoup plus qu'un agenda pour planifier vos rendez-vous, cet outil exceptionnel contient :

- Une phrase de motivation journalière
- Une page en début d'année pour planifier vos buts de l'année
- Une page en début de chaque mois pour planifier vos buts du mois
- Une page en fin d'année pour évaluer votre progrès de l'année
- Un espace pour noter les anniversaires de vos proches
- Un texte d'inspiration positive en début de chaque mois
- Une « performance mensuelle » à accomplir durant le mois

- Chaque mois bien étalé sur 2 pages vous permettant de mieux planifier
- Carnet d'adresses
- Pages de notes

Un bijou d'action et de positivisme.

Procurez-vous-le à chaque année.

ISBN 978-2-923746-37-1

www.performance-edition.com

LE POUVOIR DES MOTS

YVONNE OSWALD

« Pourquoi ne pas tourner à votre avantage les milliers de mots que vous utilisez à chaque jour de votre vie ? Dirigez votre destin maintenant grâce à vos pensées et à votre langage et préparez-vous à recevoir des résultats mesurables et étonnants! »

***Raymond Aaron**, auteur de bestsellers*

Les mots sont imprégnés de pouvoir. Non seulement les mots que nous prononçons en pensées comme en paroles, décrivent-ils notre monde, mais ils le créent aussi. Ils influent profondément sur notre vie; en fait, nos discours intérieurs produisent la totalité des résultats que nous obtenons. Dans cet ouvrage pratique d'avant-garde, Yvonne Oswald nous apprend à filtrer les mots qui ne nous sont d'aucun soutien en vue de produire de remarquables résultats en changeant notre perspective, nos relations et notre habileté à concrétiser nos désirs les plus profonds. La formule qu'elle propose est conviviale et holistique, et combine la science du langage, le bien-être physique et un nettoyage émotionnel. Les clés du succès et du bonheur qu'elle vous propose vous remettront en contact avec votre plan de vie original et approfondiront votre compréhension de ce qu'est une vie réussie.

Le pouvoir des mots charmera tous vos sens et vous armera de puissants outils essentiels au changement. Conseils, exercices, scripts, témoignages, métaphores et science s'entremêlent dans ces pages pour créer une alliance dynamique de croissance quantique qui ne manquera pas de propulser votre transformation vers de nouveaux sommets.

Yvonne Oswald a complété un doctorat en hypnose clinique et fait partie du comité d'éthique de l'Association de la Psychologie Intégrante. Elle est une thérapeute hautement respectée et une facilitatrice. Yvonne est une professeure qualifiée et une entraîneure en hypnothérapie. Elle a une maîtrise en pratique de neurolinguistique (PNL) et une maîtrise en technique de régression. Elle est une conférencière chevronnée. Elle apparaît fréquemment dans des émissions radiophoniques, à l'échelle régionale et nationale, ainsi que dans des émissions de télévision pour encourager la croissance personnelle et le développement. Elle demeure à Toronto, Ontario.

ISBN 978-2-923746-22-7

CALCULATEUR ENVIRONNEMENTAL

RAPPORT DÉTAILLÉ

Nom de l'entreprise : **Performance Édition (L'effet Popcorn)**

LISTE

des produits Cascades utilisés :

1 971 livre(s) de Rolland Enviro100 Edition 100 % post-consommation

Généré par : www.cascades.com/calculateur

Sources : Environmental Paper Network (EPN) www.papercalculator.org

RÉSULTATS

Selon les produits Cascades sélectionnés, en comparaison à la moyenne de l'industrie pour des produits faits à 100% de fibres vierges, vos sauvegardes environnementales sont:

17 arbres
1 terrain de tennis

61 726 L d'eau
176 jours de consommation d'eau

935 kg de déchets
19 poubelles

2 430 kg CO_2
16 257 km parcourus

27 GJ
127 077 ampoules 60W pendant une heure

7 kg NOx
émissions d'un camion pendant 22 jours